河出文庫

砂漠の教室
イスラエル通信

藤本和子

河出書房新社

砂漠の教室　イスラエル通信　目次

砂漠の教室

砂漠の教室はイスラエルはナターニャという土地にある。わたしは九月十二日に砂漠の教室に到着した。こんな不思議な教室に身をおくのははじめての体験だ。砂漠の教室へはヘブライ語を習いにやってきたのだが、ヘブライ語を習うということをめぐって、カンカン照りの空の下の教室では、いろいろな国からきた生徒たちが出会い、文字どおりぶつかり合うことすらあるのだが、そこにはすでに、それなりのリズムが生まれつつあることもたしかだ。あらゆる年齢の、さまざまな背景の生徒たちがいるが、しかしここは世界市民休暇村でもないし、ヘルスクラブでもなく、生徒たちはヘブライ語を習うということをめぐって共同生活を送っている。いうまでもなく、生徒の多数はユダヤ人だが、そうでない生徒もかなりいる。「わたしはヘブライ語を学んでいる」と生徒たちがヘブライ語でいうこの教室は、おそらくわたしにとっては、「ヘブライ語を学んでいる」とヘブライ語で発語しようとする人々について学ぶ、あるいは少なくとも学びはじめるその発端になる教室だと感じている。

砂漠の教室の生徒の年齢は現在、最年少が八歳で、最年長が七〇歳。わたしなどは三七歳で、若いほうに属しているのである。東京では「三七歳！　もう中年ではありませんか！」といわれるのだから、ここでは若いほうに属していることが、なんだか不思議だ。

最年長の七〇歳のアブラハムは当世流行の視聴覚法による語学の学習にはきわめて強い猜疑心を抱いている生徒だから、視聴覚法による学習の長所について教師や他の生徒が喋ろうものなら、ものすごい警戒の色を見せる。彼はいつも半分ずり落ちたような感じにズボンをはいて、なぜかいつも重いハイキング靴をはいているが、赤シャツを着て教室にあらわれる日が多い。なぜ赤シャツの日が多いかといえば、あまりこのシャツを洗わないからだ。

彼はワシントンで小さな金属化学工場を経営している。砂漠の教室に出発する日、ワシントンで留守を守ることになった彼の妻は、「さあ、いってらっしゃい、アブラハム。あなたは子供のころ寄宿学校へゆきたいと思っていたのに、その願いはかなわなかった。でも、こうして七〇歳の今、ようやく念願の寄宿学校にゆけることになって、よかったじゃないの」といって彼を送り出したのだった。

彼は神とか宗教とかいう言葉を口にする人間のまえではおそろしく攻撃的になる。おれはユダヤ人だが、ユダヤ主義（Judaism）なんかいやだ、宗教なんかいやだ、といつもいう。でも、なぜかヘブライ語を学ぶのだ。イスラエルに移民して商売するんだ、などといっているが、わたしにはどうもそれだけが理由ではないように思えてならない。

おっさんはほんとうは自分も知らない理由でヘブライ語を学んでいるのだと感じられてならないのである。

おっさんは独りで部屋にこもって、ノートと辞書にしがみつき、その頭脳にヘブライ語の新しい知識を、まさしく遮二無二(しゃにむに)押しこまんと、日夜奮闘している。彼は好んで孤独な学習方法を選んでいるのだが、そのため、教室に出てきて教師の質問に汗だくになるときは、じいっと天を仰ぎ、目をギョロギョロさせて答を捻り出すのだから、そのようすはあたかも神との対話を行なっているかのごとくで、わたしたちや教師は存在してもいないような感じである。

彼はきょう、わたしに宣言した。「こんなことが続くなら、もう荷物をまとめてここを出てゆく」というのだ。なにごとですか、とたずねたら、教師が謄写版で刷った宿題のプリントの字が乱雑で全然読めやしない、というのだ。そういうことは許されない、俺は二時間半もかかって、この糞きたないプリントを自分のノートに写し直したが、そしたらみろ、もう肝心の宿題なんぞする時間は残っていない、だから、こんなことが続くなら、もう荷物をまとめて出てゆく、と。出てゆくのなんのというまえに、教師に一言いってみたらどうかしら、とわたしはいったが、そんな下品なことはとうていできない、という答であった。

これは昨夜のことだったが、今朝教室にあらわれたおっさんはやはり不幸な表情だった。でも、すぐには出てゆくようすはない。さっきも彼の部屋のまえを通ったら、小さな机にその丸いからだでしがみつくようにして、孤独な闘いを続けているのが見えた。なぜ見えたかといえば、もちろん扉が開いていたからだ。なぜ扉が開いていたかといえば、ここイスラエルのナターニャはもう十一月中旬というのに、まだ昼間は真夏のように暑い日が多い。東の砂漠から熱い乾燥しきった風が吹いてくると、ジリジリと暑い。人々はまだ海やプールで泳いでいる。土地の人々は十一月の声を聞くと、もう秋だ、秋だとさかんにいうのだったが、彼らのそのような主張にもかかわらず、わたしの意見ではまだここは夏だ。

さて、またこの七〇歳のおっさん学生のことにもどるが、彼には「乱雑に書かれた宿題のプリント」という悩みのほかに、もう一つ悩みがある。この砂漠の教室で勉強している生徒たちは、皆ホテルの一部の小屋のような部屋をあてがわれ（よくいえば、「全寮制」とでもいうのだろう）、それぞれ二人一組になって寝起きしているのだが、彼の同室者はトルコ生まれのユダヤ人で総入歯だ。おっさんは同室者がトルコ生まれであることについては文句はないのだが、「総入歯」がたまらない、というのだ。総入歯でオレンジを食べるその音がたまらない、その音を聞くとからだが震えだす、と訴えるのだ。

荷物をまとめて出てゆく、という考えは、必ず、少なくとも一度や二度は生徒の頭をかすめる想念である。わたしとわたしの夫はある程度の決意をもって、ヘブライ語を習いにきた。わたしの夫はアメリカ生まれのユダヤ人で、十年前にはじめて若い学生として日本を訪れ、日本との出会いを通して、やがて自分がユダヤ人であること、ユダヤ人以外の者ではありえないことと対峙するようになった。ヘブライ語を学ぼうとすることは、彼にとってはその経緯の延長線上にあることで、動機はきちんとしてはいるのだが、その彼も「出てゆこうか」と考えることがある。わたしだって、べつに従順な東洋人の妻として、夫に従いこんな遠くまでやってきたわけではない。わたしもすでに、ユダヤ人とユダヤ主義との両方とに、関わってしまっている。亭主がユダヤ人だからおまえもユダヤ人か、というようなことではなく、わたしはわたしとしてヘブライ語を知らないで平気でいてはならないところへ自分を追いこんでしまった。

勉強しようと決意したうえでやってきたわたしたちであるが、それでも、もう帰ろうか、と思うことがあるのだ。事実、わたしは到着した日に、「帰ろう」といった。それ以来、寝るまえと朝起きるときに、わたしは「東京へ帰ろう」と必ずいうことにしている。着いてからちょうど二ヵ月になる。

砂漠の教室に到着したその日も猛暑で、わたしは頭がクラクラしていた。テルアヴィヴからタクシーでやってきた。途中「ベングリオン空港」に立寄って、東京から別便で着いた冬服の茶箱をひろった。ハイウェイに立っている札などをたよりにやっと着いた先は「グリーン・ビーチ・ホテル」という名のホテルである。学校はこのホテルの敷地と建物の一隅を借りているのだ。砂丘と砂浜と浜に打ち上げられたタールの黒々とした斑点ばかりが目立って、木など一本もないのに、なぜか「グリーン・ビーチ・ホテル」なのだ。わたしの調査の結果をいえば、この浜は植林され、やがて緑に覆われることになる、美しい観光用の海岸になる予定であった、というところから、先見の明をもって、この名がつけられたということであった——。

雲一つないカンカン照りの空の下、白っぽい砂地にかこまれた三流ホテルの庭にポツンと置かれたわたしたちの荷物は悲し気だった。とりわけ、緑色の茶の葉が印刷された、長旅によごれた茶箱、さらにあちこちに「日本語の文字」で小石川だの静岡だのとあるこの「日本の箱」は場違いで、わたしたちはおかしくて笑いたいような、またひどくなさけないような気持になった。

さて、「日本の茶箱」をひとまずそのままにして、わたしたちは入学手続きをするために事務所へいったが、そこでどの学級に入るか決められて、それからお金を払ったら、引換えにビニールの書類カバンをくれた。なかにはボールペン一本とざら紙の薄いノートが四、五冊入っていた。小さなノートもあった。あとでわかったが、小さなノートは砂漠の教室で行なわれる「文化活動」の歌唱指導で習い覚えた歌の歌詞を書き記すためのものだった。（第一日目に、わたしはそのノートを失くした。）もらったビニール・カバンの表にはウルパン・アキヴァ・ナターニャとヘブライ語とアラビア語と英語で印刷してあった。カバンを受けとってから、部屋の鍵をもらった。

早速部屋にいってみたら、なんということだ！　夜のあいだに海賊でも襲ってきたのか、寝台はひっくり返り、古い服や紙屑や枯れた花などがそこらじゅうにあって、驚くばかり。そこで事務所へゆき抗議したら、掃除のおばさんたちは年寄りだから時間がかかるのだ、という回答だった。夕がた、もう日も暮れるころ、おばさんたちはやってきた。そのおなじおばさんたちが、いまもわたしたちの部屋を掃除してくれるのだが、それはとても「掃除」とは呼びにくい仕事ぶりで、床をビショビショにしておけば掃除をしたことになる、というような態度だ。それでも毎朝、二人の太ったおばさんたちはよいしょ、よいしょとやってくる。ちゃんと黄色い制服まで着けて。なぜ、彼女たちの作業にそれほどの時間がかかるかといえば、彼女たちはたいした読書家で生徒たちの部屋にある新聞や雑誌を片っぱしから読むのだ。ある日、休み時間に部屋にもどったわたしは、東京から着いたばかりの『婦人公論』に一心不乱に読みふけるおばさんの姿を目撃したのである！

「もう、帰ろう」と思うことがある、と書いて掃除のおばさんたちのことに脱線してしまった。わたしたちがここにきて、もう二ヵ月になる、というところまで書いたのだった。ここのコースは五ヵ月だから、まだ半分も終ったことにならない。砂漠の教室には長短いろいろのコースがあるが、五ヵ月の集中講座に入ると、やはり人質にとられたような感じだ。朝八時から午後一時まで教室の授業で、午後はまた復習や宿題など二、三時間、ときには五時間ぐらい自習することになることもあるので、ずいぶん閉ざされた生活である。夜は夜で、文化活動という名のもとに色々あって——プロパガンダ映画を見たり、フォーク・ダンスを踊ったり、講演があったり。

文化活動といえば、ありがたいことにこの閉ざされた教室を訪れてくれる人もときにはあるのである。先日は百五十人のアラブ人の子供たちがきてくれた。アラブ人とイスラエルのユダヤ人の交流ということに、この学校の女校長が熱心なのだ。どうやって、あんなに多勢の子供を引っ張ってきたのかと思うほど、レクリエーション・ルームには子供たちがあふれて、その声がワーンと天井から反響したものだ。信仰深い親をもつアラブ人の女児たちは、子供でもしっかりと頭にネッカチーフを被っている。皮膚の色が濃い褐色の子供たちと一緒に、金髪で青い眼の子供もいる。アラブ人の子供だ。わたしは「十字軍だ」と思った。それは、やはり、そうであるらしい。さて、このアラブ・ユダヤ交流に熱心な女校長は、また彼女の学校がきわめて「インターナショナル」であることをたいへん誇りに思っている。そこで、この子供たちに対しても、彼女はその点を示そうとした。そう、いつだって彼女はわたしに日本の歌を歌え歌えとうるさいのだ。一、二年前にやはり日本人の若い女性がここで勉強していたことがあるらしいのだが、その女性はわたしなんかよりずっと素直でやさしかったのだろう。わたしが抵抗を示すと、教師たちは意外そうにする。もう一人の女性と、なんたる違い、だいいち理屈っぽくて気むずかしくて、と思っているのではないか。それにしてもおかしいのは、夫のデイヴィッドは日本の代表みたいに日本語の歌を素直に歌う。アラブ人の子供たちの前で、女校長が、「じゃ、これからここの生徒に歌を歌ってもらいます。ええと、日本からきているのは誰ですか?」(なんと見えすいた芝居だ。まるで子供あつかいだ、とわたしはムッとする)「この人です。デイヴィッド・グッドマンがそうです」とわたしはいってやる。(馬鹿な質問には馬鹿な回答を与えよ、というではないか)それでも、子供たちが聞きたいというのだから、わたしは夫と一緒に歌った。なにをだって? それは秘密だ。歌い終ると、アラブ人の子供たちは拍手したが、アッハッハッ、と笑っている子供もいた。

二ヵ月もたつと、本質的にノイローゼ気味の生徒はますますその症状をあらわにしている。本質的にだらしない生徒はますますだらしなくなってきた。本質的にこの世を憎んでいる生徒は、ますます懐疑的になってきた。本質的に甘ったれの生徒は、すでにその正体を自ら暴露した。砂漠の教室は奇妙な教室だ。

オデュッセイア的下痢

二人の幼い子供をキブツに残して、十週間ここで勉強するためにやってきた若い女性がいる。エレンという。アメリカ出身の彼女はニューヨークを引き払って、夫と子供二人とともにキブツに住むようになった。夫は「IBM」のコンピューター・アナリストだったがそこを辞めて、現在はキブツの合板工場のコンピューターを操作している。エレンはヘブライ語を覚える、イスラエルに住むと決めた以上はヘブライ語をちゃんと覚えるのだと決心してやってきたのだが、子供のことが心配だったり、家族を置いてきたことに罪悪感を覚えたり、はたまたその心配や罪悪感に自分が悩まなければならないことがきわめて不当にも思えて、ひどく混乱してしまう。すると必ず下痢をする。ひどい腹痛に襲われ、激しい下痢が何時間も続く。はた目にもつらい神経性下痢だ。

エレンは週末には家族に会いに、朝五時の食事当番が待っているキブツにもどるが、その間、ナターニャからティベリアまで、四度もバスを乗りかえなければ帰れないので、バスを逃すまいと走ったり、バスに鶏が乗ってきたり、つぎからつぎへと事件が起こるので、またもや下痢だ。先々週はついに、彼女が乗っていたバスがトラックと正面衝突し、バスは横転した。乗客に混じっていたイエメン系のユダヤ人の老婆たちは泣き叫び、地にひれ伏して祈りをあげたそうだ。さいわい重傷の負傷者も出ずにすんだが、それでもやはりショックでまた下痢になった。公衆便所に駆けこむ彼女のうしろから、トイレットペーパー売りがギャアギャア叫んで追いかけた、とか。まるで地獄だ、とエレンは思った。こんなひどいめに会うのなら、もう週末にキブツにもどるのはやめようと決心して、先週の週末は砂漠の教室に残ったが、するとまた、子供のことが気がかりで、家へ帰ってやらなかったことが罪深く思えて、さらに下痢をするのだった。

下痢さえしていなければ、エレンは生き生きとした女性だ。彼女のイスラエルへの移民には、七〇年代アメリカの「オデュッセイア」的なところがある。ユダヤ人の家庭に生まれた彼女はおもに、ニュー・ジャージーあたりで成長したが、二〇代に入ってから、彼女は「真理を求める」精神の旅に出てさまざまなことに巻きこまれた。ユダヤ主義の教えはまちがいでないにしても、今日の生活を生きることはできない、と考えたらしく、禅や太陽信仰などをはじめとして、色々な場に出入りし、そのたびに失望したらしい。最後の実験は「グールー」信仰だったが、ある集会に出かけていったところ、例によって例のごとく花を飾り香などをたいてある「グールー」の部屋に足を踏み入れた途端、彼女の目に映ったのは、数人の友人が床にひれ伏し、「グールー」の足に口づけせんとしていたところだった。彼女は吐気をもよおしつつ、その場を去った。(「グールー」はその後、故殺罪で刑務所入りしたとか。信者の子供が病気で副腎皮質ホルモンをのんでいたのだが、そんな薬はやめさせろ、わたしが治す、といって引き受け、その結果子供は死んでしまった。）

さて、「真理」は見つからず、すでに二人の子供をかかえていたエレンはイスラエルへの移民を決意した、という。アメリカでは子供を育てることはできない、という理由で。

彼女が一家総出でイスラエルへ移ってきたことは、彼女のオデュッセイア的旅の終りを意味するものではないように思われる。その行為のもっとも深い意味については、彼女のなかで意識化されてはいないようだ。現在の彼女の哲学は「われわれは他者の生きかたや思想について判断を下すことはできない。誰も自分にとってよいと思われることをするだけだし、自分が感じることは自分が感じる以上のものではないのだから、それを他者へ敷衍（ふえん）してはならない。そんな資格は誰にもない」というものだ。自分でよいと思うこと、気持にぴったりすることをやればよろしい、Do your own thing というせりふを、あまりにこのごろアメリカ人がいうので気持が悪いくらいだ。価値判断をやめて自由を認めあおう、という表現には、大義名分は信用できないぞという発見があったのだろうということを理解したうえでも、なお一種のよどんだ混乱が感じられる。

モロッコの鰯(いわし)

モロッコ生まれのフェルナンドは、今でもモロッコの鰯の話を毎日のようにするのである。朝早く海に出て、浜で漁師からバケツ一杯の鰯を買い、それから角の酒屋で白ぶどう酒を買って仕事にゆく。仕事場についたら火をたいて鰯を焼くと、鰯のからだからは無駄な油がぜんぶ出て、それがジュージューと焼ける、そしたら、そこでぶどう酒を一杯。鰯のうまいこと、あんな鰯はとてもほかでは見つからない。鰯はああでなければならない——というわけだ。わたしは彼が話しているのは、彼が現在住んでいる「紅海」のほとりのエイラットの鰯の話をしているのだとばかり思っていたので、へえ、「紅海」に鰯なぞがいるのかねと不思議な気がして、ある日、それほど結構な鰯なら、一月に学校が終ったら訪ねるから食べさせてください、とわたしはいった。すると、彼はおまえは気でも狂ったか、というような眼つきになったので、なぜそのように眼つきが変化したのかとたずねれば、彼のいう天下一品の鰯とはモロッコの鰯である、というのだ。二十年も前にあとにして出てきたモロッコの鰯だというのだ。イスラエルの人口のうちイスラエル生まれのイスラエル人は、現在は五割を超えているというが、それにしてもイスラエル生まれでないイスラエル人の割合はずいぶん高いことはたしかだ。彼らは、よくも悪くも昔を背負っている。苛酷な経験をした昔の故郷をそのまま背負っている。ソヴィエト・ロシアからやってきた人々は機会があるとロシア民謡を歌い、踊りを踊る。それと同時に、たとえば「警察」といえばソヴィエトの秘密警察を思い浮かべるので、ちょっとした何でもないことにも強烈な黙秘権を行使して拘留されたりする。二二歳のミハエルがそうだった。彼が拘留されていた四日間、母親は狂ったように泣き続けた。近代国家たるイスラエルのユダヤ人はもはやユダヤ人と呼ぶべきではなく、「イスラエル人」とだけ呼ぶのがふさわしい、という意見を東京で聞いたことがあるのだが、そういうふうにいえるとしたら、たとえばアウシュヴィッツに収容されたときに、ナチスによってほどこされた刺青の「番号」をつけたユダヤ人をなんと呼ぶのだろうか。やはり彼らは「イスラエル人」と呼ばれるだけで、刺青の番号はすでに、偶然腕に浮き出て見えるアザのようなものにすぎず、彼らの現在とはなんの関わりもないことになるのだろうか？　そんな馬鹿なことがあるわけはない。刺青は宙に浮いてゆきどころもなく、ただプカプカと漂うだけか？　「イスラエル人」とだけ呼べばいい、といえてしまう者の頭の中では、おそらく刺青の「番号」がプカプカと地獄へも天国へもゆけず、さまよい続けることはどうでもいい、ということになるのだろう。イスラエルの起源はユダヤ人の歴史と結びついている。それから切り離すことはできない。刺青はイスラエルのスティグマではなく、人間の腕に刺青を入れ、人間を番号化し、それからガス室で焼き殺したヨーロッパのスティグマとして、あるのだ。もちろん、イスラエルがユダヤ人の歴史の一部を担うということは、正の部分も負の部分もふくめていうことだ。だが、帝国主義とか第三世界の敵とか、そんなきまり文句の位相では理解できないことのように感じる。

このアキヴァ学校でも、わたしはすでに、強制収容所の刺青を腕に残している女性二人に会った。わたしはなにもたずねることができず、からだが凍えるようで、自分は彼女たちの経験に見合う言葉をもたない、と感じるばかりだ。「つらい強制収容所のことをたずねてはあまりにも無礼だ」というような憶測や推察さえ正しいものではないようだ。彼女たちはその経験について語ることをいやがらないらしいからだ。だから、問題はわたしの側の思いやりなどではなく、わたしには問を構成する言葉すらないと、わたしが感じることなのだ。

彼女たちは強制収容所を生きのびてイスラエルにやってきてすでに二十五年ほどになるわけだが、話し言葉としてのヘブライ語は自由に使えても、書くことに困難があるようで、だからアキヴァ学校へきている。そして、彼女たちの刺青の番号は今でも半透明に青い——。

書くことに上達したい、いや、書けるようになりたい、という生徒のなかに、先月は七二歳の男性がいた。彼は読むことと話すことは完全にできるのだが、書くことが全然できないのだった。生きることにせいいっぱいで、書くことを学ぶ暇がなかったのだろう、とわたしは思った。七二歳になってようやく、彼はヘブライ語のアルファベットからはじめて、書くことを習う機会を得たのだった。三週間の集中講座が終るころには、彼は手紙が書けるようになっていた。それまでは、必要があっても、伝言一つ書くことさえできなかった彼がだ。ある夕方のこと、わたしは蚊にくわれながら、プールのそばの椅子にすわって彼の話を聞いた。イスラエルにきてからもう三十五年になる、と彼はいった。そして、その日彼は彼の人生最初のヘブライ語の手紙を書いた、というのだった。手紙は彼の一人娘に宛てたもので、娘には、その手紙を読んだら、綴り字の誤りなどをきちんと添削して送り返してくれるようにたのんだ、と彼はいった。以前は娘は彼と同じ町に住んでいたが、結婚してよその町へ移っていったので、その娘に手紙を書くことができるようになりたいと、アキヴァ学校へきて勉強していたのだった。生まれてはじめてヘブライ語の手紙を書いたのだよ、と話す彼の背の向うに、わたしはやはりわたしのもち合わせの知識や憶測ではとても知ることのできない歴史があるのだと感じた。

老人の生徒にも、じつにいろいろあって、オランダ出身の夫婦は夫が七〇歳で奥さんが七七歳だった。大柄な夫婦だったが、二人はいつも手をつないで歩いていた。夜になると、二人は空いている教室にいって一緒に宿題に取り組むのだった。レクリエーション室のまえを通って懐中電燈を手に、暗い教室に向って手をつないで歩いてゆく二人の後姿を眺めては、わたしたち若いほう（！）に属する「初級」の生徒たちは、「あ、ごらん、あのふたり、また暗闇に消えてペッティングするんだ」などとくだらないことをいい合った。

古顔であることは、ときに悪い夢のようで

「あのふたり、また暗闇に消えてペッティングするんだ」とくだらないことを書いてから、もう二ヵ月もたってしまった。その間、いろいろな新しい生徒が入ってきては去っていった。わたしたちはまぬけにも、のっけから五ヵ月のコースに入ったので、九月の新学期にここへきて、もう暮れも暮れ、十二月二十五日になるというのに、まだこうしてここにいる。それというのも、亭主が悪いのだ。有金全部ハタクようにして、五ヵ月分の授業料、まず最初に払ったからだ。天変地異およびその他いかなる事情があろうとも、支払った金はビタ一文返さぬ、と学校の規則書には書いてある。だがあと一ヵ月のシンボウだ。しかし、わたしたちはなんといっても立派な古顔なのだから、そのことにふさわしく、新しい生徒が入ってくるたびにえらそうに忠告したり、おどかしたりする。

「ブルームには注意したほうがいいわよ。あの人どう見たって、正気じゃない」とか、

「あら、あなた五ヵ月のコースに入ったの？　あたしとおんなじ。五ヵ月分の授業料と寮費、ぜんぶいっぺんに払ったのね。ばかねえ。五ヵ月は長いわよう。この辺鄙な砂漠

の教室では、五ヵ月はほとんど永遠ですよ。あなた、続く自信があるの？　なにしろ食事はまずい、庭は汚れ放題、このあいだなんか、トイレの掃除用の棒つきブラシがね、中庭の真中に何日も転がったままだったのよ。それに生徒の中には、ずいぶんひどいのがいるからね。とくにニューヨークからきているアメリカ人がひどい。だいたい皆とてつもない個人的な問題を抱えていて、それをこちらに押しつけてきますよ。一日二十四時間つき合ってるうちに、こちらまで変になってきますよ。ね、ね、あたしの眼、よく見てごらん。ほら、こう、なんとなく落ち着きがなくて、キョロキョロして不安定で、どうもよくないって感じでしょう？　九月にきたときは、あたしこんなふうじゃなかった！」という具合で、これでは噂に聞く大学の体育部の新入生に対するシゴキとやらに、精神としては似通っているのではないか？　古顔などになってしまって、あたしどうしようと途方にくれているのだ。

しかし、それにしても、砂漠の教室にはじつにさまざまな人間が集まる。ヘブライ語を習うには、このような私立の学校に入る方法とはべつに、たとえば「メルカズ・クリタ」と呼ばれる移民吸収組織に附属している学校や、キブツで志願して半日働いて、半日学校へ通うという方法もある。わたしたちのいるアキヴァ学校へは移民でなくともこられるわけだし、労働をするわけでもないから、たとえば一ヵ月の休暇を利用してくる人とか、移民しようかと考えちゅうだが、まだ百パーセント決心したわけではない、ひとまず言葉でも勉強しながら、よく考えてみよう、というタイプなどもある。

一ヵ月の休暇を利用してやってきたポーラはいつも幻覚とともに生きているようだった。彼女はニューヨークはブルックリンの、ある図書館の子供読書室の司書だが、子供は大嫌いだ、とつねに呪いの言葉を吐いていた。食卓の皿に肉や野菜を載せて、ナイフを叩きつけるようにして、それを細かく切り刻んでは、子供は憎らしい、ほんとに胸がムカムカする、と呪うのだった。それから肉や野菜やライスをナイフでゴチャゴチャと混ぜて、まずそうにニチャニチャと食べる。彼女は教室へゆくにも食堂へゆくのにも、重そうなボストンバッグをかついでゆく。なにか盗まれてはならない物がドッサリ入っているらしい。模造紙のように白い顔で、「男たちはなぜあたしを放っておかない？」と訴えるのだ。「たとえば、エマニュエル神父（！　彼はバスクから、滅びかけた言語の復活と教育はいかになされうるかという大テーマを背負ってやってきたフランシスコ修道会の神父で、「バスク独立運動」の一員だ）だけど、神父は完全にあたしにまいっているのよね。ごらん、あんなにさえない顔色（ところが、彼の顔色はじつにつやつやとさえきっていた）をして。片想いに苦しんでいるからよ。でも、あたしとしてはどうしようもない、あたしの役どころじゃないのだもの。それにあのフランスのイラン少年だけど、あの子もあたしを狙っている。フランスの少年てのは、歳上の女に手ほどきしてもらいたいって考えるものですからね。でも、あたしがあの子の思い通りになるなんて思ったら、それこそとんでもない見当違い！」

ときに彼女は予告もなく、さめざめと泣き出す。教師に飴をあげようと思ったのに、他の生徒がその教師と長話をしていたために、目的を達することができなかったから、いやだ、といって泣くのである。わたしに向ってある日、「日本て保守的な古い国なんでしょう？　反抗する若者は不幸な目にあうんでしょう？」と突然つめよるので、そう単純なものじゃないと回答したら、その後三十分も、さめざめと泣いていた。

砂漠におちるヨーロッパの影

すでに十二月二十五日と書いてから一ヵ月が経過した。そして、なんと奇跡的に、わたしたちの二十週間のヘブライ語集中学習はついに終了した。くる日もくる日も、教室で五時間、その後は部屋で自習を三時間、あるいは四時間という生活をしているうちに、もうここから出てゆく日は永遠にこないのではないかとさえ思うようになっていた。

長い夏がある日突然終って、夜が明けると秋だった。秋はとても短かく、わたしにはほんの数日のことのように感じられた。そして、冬。つまり砂漠は雨期を迎えたのだ。静かな地中海も、嵐の日には黒々と波立ち、なにもかも重たく濡れて、野や山にとつじょ小川が出現したりする。イスラエルは乾燥した国として知られているが、雨期の集中豪雨のせいで年間降雨量は、たとえばテルアヴィヴのそれはロンドンのそれより多いそうだ。しかし、大地は、一度に空のバケツをひっくり返したかのごとく降る雨を吸収することはできないから、雨水の大半はゴウゴウと地中海に流れこんでしまう。だから、イスラエルは乾燥した土地だ、というのはやはり正しいいいかたである。

雨期に入った砂漠の教室の生活は日差しの強い明るい夏のそれよりも困難だった。もう観光客も全然こないし、三流ホテルはすっかり森閑として、アキヴァ学校の生徒たちは置き忘れられたやっかいな荷物のようにあつかわれ、食事なども日に日にひどくなるのだった。ヘブライ語の学習のほうは思っていたよりも好調で、だから一応やってきた目的は達せられた。

いくどか、「なぜヘブライ語などを学ぶのか」ときかれた。イスラエル人にたずねられるのだ。イスラエルに移住するのなら、国語としてのヘブライ語を学ぶのはあたりまえだが、わたしや夫のようにべつに移住する意思もない者たちが、五ヵ月間もそれだけに集中するのはなぜか、というわけだ。そうたずねるのは、だいたい西ヨーロッパから移住してきたイスラエル人だ。移住してきた、といってもすでに三十年ぐらいも前のことだという例が多いのだが、わたしは彼らのその問のなかにすでに答の五〇パーセントをかぎとってしまう。

もしわたしがフランス語やドイツ語を勉強しているとしたら、おそらく彼らはわたしになぜそのような言葉を学ぶ必要があるのか、とはたずねない。たずねる以前に、「必要がある」と彼らは自ら解答しているからだ。わたしが英語を喋ることについても、「なぜ英語などを子供のときから習ったのか」とは問わない。それは自動的に「よいこと」「ためになること」「あたりまえ」のことだと考えられているからだ。「なぜヘブライ語」を習うのかという問はおそらく、「なぜ外国人が日本語などを学ぶのか」という問と同質のもので、ヘブライ語ないしは英語で発せられる、その「なぜヘブライ語を?」という問には「なぜヘブライ語などを」というニュアンスがかくされている。「なぜ日本語を」と問うときに、なぜ日本語などをというニュアンスがかくされているのと同じことだ。

わたしはだからその問に答える気持にならない。彼らが問を発したときにすでに自ら半分答えてしまっているということと、問を発する彼らの心に住むヨーロッパ人としてのヨーロッパの像がいやだからだ。彼らのヨーロッパは虚像だ。ヨーロッパが文明のモデルであり、究極的な規範だという幻想と、六百万のユダヤ人（あるいはその数をはるかに上まわる市民）を虐殺したヨーロッパ、宿酔いの朝のように、ユダヤ人をその口から悪臭とともに吐き出したヨーロッパとのあいだに、この人たちはどのような折り合いをつけるのか。ほんとうは「こんなところ」へきたくなかった人々。大虐殺などさえなかったなら。

これと関連したことだが、右派と呼ばれる政治グループは、たとえばヒットラーのドイツとアラブの反感を同質のものとして議論する。わたしにとって現在アラブは巨大な闇として立ちあらわれていて、とても第三世界云々という図式では身動きできない感じだ。日本人であるところのわたしが持ち合わせの気持や観念をアラブ人の世界に投影してみたところで、そこから理解が生まれるとはとても思えない。同様に、ロシアのポグロムやヒットラー政権下のドイツ人のことを、アラブの反感や発言に重ねてみたところで、それはやはり一種の幻想だろうという気がする。

ここはたしかに中近東なのだ。イスラエルのユダヤ人の人口の六〇パーセント以上は有色のいわゆる東方系（オリエンタル）で、だから白人のヨーロッパ系のユダヤ人は四〇パーセント以下であるわけだ。イスラエルのユダヤ人たちは積極的にアジアの経験から学ばなければだめなのではないかとわたしは思う。「なぜヘブライ語などを」という質問を発してはいけないのだ。

そういう問を発するのはしばしば、ドイツ系のユダヤ人であることが多いようだ。東ヨーロッパからやってきた人々はまた大分感触がちがう。ポーランド生まれの一八歳のイリスは、現在はウィーンに両親と暮しているが、両親はこの娘をイスラエルにおきたい。そこでアキヴァ学校に送りこんだ。イリスには宿命論者的な暗い感じがあって、とても聡明で八ヵ国語ぐらいの言葉を話すが、ブロンドの長い髪を馬のたてがみのようにバサバサにして、しばしば嗜眠症の症状を呈して部屋にこもってしまう。彼女の父親はトレブリンカ強制収容所でさいごまで生きのびた八人のうちの一人だ。父親は現在はウィーンでホテルを経営しているが、そのホテルはようやくのことでソヴィエトを出てきたユダヤ人がまず最初の西側の宿泊所として使うホテルである。そこへくるソ連のユダヤ人はイスラエルゆきの査証をもっているが、全員がイスラエルに向うわけでもなく、イギリスやアメリカへ方向転換する人々もいる。

ソヴィエトからやってきてイスラエルに住むようになった人々の一人にわたしも会った。彼は夏のあいだしばらくアキヴァ学校にきていたのだ。彼はアブラハム・ソロモニックという名だが、レニングラード生まれで、ソヴィエトではまず弁護士として出発した。それも法廷で被告を弁護する弁護士だ。その仕事のためにいくどかひどく危険な立場に身を置いた、いま生きているのがほとんど奇跡的だといえるほど僕は運がよかった、と彼はいう。体制の気にさわることをするたびに、彼はレニングラードからしだいに遠ざかるかたちで転任させられ、もうあとちょっとでシベリア、というところで弁護士をやめた。その後は成人学校の教師になって英語を教えたそうだ。

ユダヤ人として差別されたのか、とたずねると、彼は「された」と答える。法律学校にいっていたときも、彼はクラスのトップでいわゆるメダリストだったが、ユダヤ人だから大学院には入れてやらない、といわれた。でもそこで闘うなんていうことは全然考えなかった、と彼はいう。ソヴィエトを出た理由も差別が直接の理由ではない、ソヴィエト社会の構造にすっかりうんざりして、そこでゲームを続ける気持が全くなくなってしまったからだ、という。

子供のころから、彼にとって、自分がユダヤ人であるということは、名前がユダヤ人の名前だという事実以上のものではなかったと彼は話す。彼はユダヤ人としての教育はなにも受けず、「ユダヤ人」が何者でありうるかも知らず、彼の頭の中ではいつのまにか、「ユダヤ人」とはロシア人によってステロタイプ化された「負」の人間像として存在するようになっていた、と。ということは、そこには、外側からはおまえはユダヤ人だ、といって二級市民のあつかいを受け、内側では「なぜかおれはユダヤ人であるのだ」といって、その負の人間像と一体化しなければならないという過程があったわけだ。

わたしはエルサレムにある彼の一家のアパートを訪ねたが、家具などはレニングラードで使っていたものを全部持ってきているのだ。アパートに一歩入ったとたん、わたしはこの家はいままで訪れた家々とずいぶん雰囲気がちがうぞ、と思った。そこの雰囲気には重く暗くのしかかるようなところがあって、窓から陽がさしこむと、紅茶茶碗にはレニングラードのあの無数の橋が映っているのではないかと、ふとわたしはのぞきこんでしまうのだった。わたしと夫がアブラハムと話をしていた四、五時間のあいだ、アブラハムの奥さんの母親である老婆は、一枚のロシア語の新聞をすみからすみまで、くり返し読んでいたが、ときどき重い溜息のような音をもらした。

砂漠の教室へのみちのり

東ヨーロッパということで思い出したが、ポーランド生まれの一人の年寄りの女性がいた。彼女はもう八〇歳になっていただろう。読み書きが自由にならない、というので学習をはじめたのだった。けれどもなにしろ八〇歳で、勉強するという経験そのものが、すでに太古のことになってしまっていたのだから、教室でもひどくトンチンカンで、宿題もまじめにやってはくるが、全然見当ちがいのことをやってしまう。教室では彼女はいつもつぎのように行動するのだった。

教師のシュムエル　じゃあ、こんどはレアの番だ。レア、この文章を過去形に変えなさい。いいですか。わたしは馬鈴薯のホットケーキを焼く、これを過去形に変えなさい。

レア　はい、はい。馬鈴薯のホットケーキといえば、あたしは昔、ほんとうにおいしい馬鈴薯のホットケーキを焼きましたよ。ひけつはね、おろしで玉葱をすりおろして混ぜることですよ。死んだ主人はいつも、あたしの焼いた馬鈴薯のホットケーキをとても悦んで食べてくれましてね。そう、そう、かならず林檎のソースをそえました。なんといっても、馬鈴薯のホットケーキには林檎ソースが一番。

教師のシュムエル　レア、もうよろしい。

あるいは――

教師のシュムエル　ヘブライ語にはこのような諺があるわけです。では、復習してみよう。レア、最初の、この諺の意味をいってみなさい。

レア　諺……。そうねえ、諺といえば死んだ主人を思い出します。主人はいつもいってましたよ。諺は噛めば噛むほど味がでるって。たとえば、主人は「りこうな問はすでに回答の半分である」なんていいました。主人はとてもいい人でした。

いつもこんな調子だった。教師のシュムエルはレアに敬意を抱いていたから、けっしてそういうトンチンカンなレアを侮辱するようなことはなく、いつも鄭重だった。レアはヘブライ語の読み書きが自由にならないから学校へきたわけだが、死んだ彼女の主人というのはじつはヘブライ語の教師だった。主人はレアのヘブライ語に我慢がならず、二人のあいだでは彼が死ぬまで、ポーランド語で話をしたそうだ。教師のシュムエルもポーランド生まれで、ナチスの迫害以前にシオニストとしてイスラエルへやってきた人だ。もうイスラエルに住んで四十五年。彼のレアに対する敬意には、わたしにはおそらくけっして知ることのできない奥行きがあるのだろうと思う。会話の練習のために、生徒はそれぞれ身の上話などをさせられることもあるが、レアが夫の死について話したとき、シュムエルは涙を浮かべてきいていた。教師のシュムエルはそういう人だ。三十五年もヘブライ語の教師をしてきたが、毎日がまるで新しい経験であるかのように教師という仕事をする人である。六〇歳を越えていて、白髪がちょうどあのベングリオンのそれのようで、全部直立している。ふだんはおそろしい顔つきに見える。教室ではきわめて魅力的な教師で、わたしには気持のよい経験だった。

シュムエル　この練習問題はじつにいい。この練習問題を作ったのは誰だろう？
生徒たち　（口々に）シュムエル、シュムエル、シュムエルだ。
シュムエル　ふん、ふん、そうか。しかしなんと立派な練習問題だろう！

アキヴァ学校にくる人々は、キブツや公共機関が送りこむわずかな部分を除けば、けっして安いとはいえない授業料や宿泊費などを自分の懐から払って入学してくるわけだから、生活に窮しているモロッコ系のユダヤ人などはくることはできない。むしろ、アメリカや西ヨーロッパなどで困らない暮しをしている人たちが多い。しかし、それでもなお、さまざまな年齢の、さまざまな背景を負った生徒たちには、どこかかすかに打ちひしがれたところがあることに気づく。アメリカでなにひとつ不自由なく暮しているユダヤ人が、あるときイスラエルへの移民を考える。彼らは移民の動機については、当然のことながら、一応は言語化し表現するが、わたしにはその「なぜか」の深いところは、彼らの意識からもかくれたところにあるように思えてならない。イスラエルにくれば物質的な生活水準は一挙に低落するし、社会的な地位も一挙に低落することもある。アメリカやヨーロッパから、差別を理由にやってくる者は現在は皆無だ。それでもなお、「イスラエルに移住しようか」とある日彼らは考える。

ヨーロッパからきている一〇代の娘たちにも何人か会った。イギリスやドイツやフランスからきている娘たち。彼女たちはそれぞれ裕福な家庭に育った娘たちで、高等学校から大学へゆくその中間の時期に十週間から二十週間、ヘブライ語の勉強にくることが多い。表面的な印象からいえば、彼女たちはユダヤ人であるというよりは、まず洗練されたイギリス人であり、ドイツ人であり、フランス人だという感じが強い。イギリス人がフランス人を悪しざまにいう、あるいはフランス人がイギリス人を悪しざまにいう、そういうおかしな対立感みたいなものまで持ちこんでくる。(ドイツからきた青年とフランスからきた少年は、教室でもいつもいがみ合っていて、「フランス人のろくでなしが」とか、「ドイツの野蛮人が!」というような言葉を歯の隙間から吐き出すようにいうのだった。)しかしそれでもなお、これらの娘たち息子たちの親たちは強制収容所を生きのびた人々、あるいは奇跡的に捕えられずに戦争の終りを迎えた人々だ。「ベルリンが世界中で一番すばらしい」というドイツ娘や、「休みがあったらパリへもどって、美容院へゆくつもりだったのに」というパリ娘のくったくのなさ、完全にブルジョワ的な甘やかされた生活を見ていると、それこそヨーロッパの頽廃（たいはい）そのものを見ている思いさえするが、それでもなお、彼女たちのくったくのない美しい顔の向うに、わたしは歴史を見る、と思う。個人的に意識化されることはおそらくないままに、彼女たちはそれでもなお、なぜかヘブライ語を習う。

　それぞれが長いみちのりを経て、砂漠の教室へやってくる。みちのりはそれぞれの生徒の個体史の道程よりはずっと長く、彼らが出会ったこともない曾祖父たちや、さらにそれよりもいく世代も以前にさかのぼる時点に出発点をもっている。砂漠の教室そのものが長い道のりの果てに存在している、といえる。トインビーはユダヤ人を歴史の化石と呼んだし、ユダヤ自身もヘブライ語が日常語として復活するとは本気で信じてはいなかっただろう。ヘブライ語はキリスト教徒が旧約聖書と呼ぶところの聖典の言語、さらにそれをめぐる古典的な評釈的な書物の言語として、それこそ化石的に生き続けるにしても、実用的な言語としてはもう死んだ、と考えられていたわけだ。ヘブライ語の復活はいうまでもなくイスラエルの建国と結びついているが、そこへいたるみちのりの疎外の歴史と、ヘブライ語が内蔵する小宇宙そのものとはけっして無関係ではないようだ。

ドイツ生まれの、ユダヤ神秘主義の学者ゲルショム・ショーレムがある日父親に、「わたしはユダヤ人でありたいと思うのです」といって家を出たことと深く結びついている。それは差別からの逃亡というより、異なる小宇宙への出発であったはずだ。そのことと、現在のイスラエルが国家として抱えている問題とのきしみ、あるいはそのことと、正統派と呼ばれる「敬虔なユダヤ人」が無視しようとしている問題とのきしみについては、当然考えなければならないが、いまはひとまず、砂漠のヘブライ語教室にいたるユダヤ人の生徒たちは、それぞれに歴史的なみちのりを経てやってきている、偶然などはない、ということだけにしておく。それは長く、ひどく入りくんだ道だが、それでもなお、のびのびと美しいアメリカやヨーロッパのユダヤ人の娘たちの笑顔のうしろにさえ、ただちに見てとることのできるものでもある。差別とか偏見とか迫害とかいう手軽な常套語では、ユダヤ人が傷ついた人々であることを満足に説明することはできない。キリスト教の世界観の内部に吸収されることを拒み続けた集団の疎外の質がいかなるものであるか、そのことが理解されないとだめだと思う。

ついに、わたしたちが砂漠の教室を引きあげる日がきた。免状ももらった。そこでの暮しについてはある苦さをもって思い出すことになるかもしれない。その苦さがあの砂漠の教室だけに属するものなのか、それとも、これから数ヵ月間住むことになるイスラエルでの経験全体についていえることなのか、まだわたしにはわからない。告白すれば、ナターニャのアキヴァ学校は地質学的には砂漠にあるわけではない。そこは五、六十年ぐらい前は沼地だった。猛烈なマラリアとたたかいながら、人々は沼地を干拓した。そこには砂丘もあり、一面砂地だから、砂漠だ、とわたしは勝手にいったのだが、これは真実ではない。それでもなお、わたしはあそこでの経験を、さまざまな意味で砂漠的であると考えるので、砂漠の教室といういいかたを変えないでおこうと思う。イスラエルの経験そのものが、大きな砂漠の教室の教訓となるのかどうか、それはまだほんとうにわからない。ここの教室で出会った人々についても、わたしはまだ等身大の彼らを知らないのだ。わたしにとっての教室はこの先にあるのだといえよう。つぎの教室はカンカン照りの砂漠にあるのか、どしゃぶりの雨期の泥水あふれる街路にあるのか、それもわからない。いずれにしろ、つぎの教室のことを書くということは、おそらく、とりもなおさず、そもそもなぜわたしが九月に日照りの教室へ向ったか、そのことに触れなくてはならないということだろうと、重い気持で感じているところだ。きょうのところはまだこうして、もらった免状などをじいっと眺めているのである。

イスラエル・スケッチ I

ヘブライ語を習うために入ったナターニャの「砂漠の教室」の五ヵ月間もついに終るときがきた。免状などももらった。そのあと、わたしは教室を出て外へ出た。外がほんとうの教室なのだろうという予感をいだいて。

教室の外の教室について、「イスラエルという国はこうだ」といういいかたで総括的にいうことはわたしにはいまは少くともできない。総括的にいってみようかと考えたとたん、それと矛盾する現象に出会うからだ。そんなことは当りまえといえば当りまえだが、いずれにしろ、一つ一つの印象はジグソウ・パズルの断片のような性格をおびて、それを全体像のどこにおさめればよいか、すぐには見えてこないという状態でわたしはスケッチを書きはじめることにした。自分でもひどく心を惹かれるエピソードが、なぜ心を惹くのか、明確でないことさえある。これではまるで、全体の意匠を知らずに組み立てる積木だ。だが、そのほうがじつはよいこともあるかもしれない、という漠然とした期待もあるのだ。

ベドウィンの胡瓜畑

ネゲブ砂漠にあるヤミットという新興都市を訪れたときのことである。

ある午前中のこと、強い日差しの中をわたしは男の人たち三人と一緒に砂漠を歩いていた。いくつもの砂丘をのぼったりくだったりしているうちに、わたしたちはふいにベドウィンのテントの前に出ていた。

テントといっても、これは天幕を張って作ったものではなく、乾葉（ひば）やそだのようなものを組み合わせて作ったものだった。屋根もそういうもので作ってある。

ベドウィンのこの住居の前に立っているわたしたち四人組の前に、とつぜん二人のベドウィンの男性がどこからともなく現われ、大声でなにかいった。アラビア語でいったので、わたしにはわからなかったのだが、同行者のイスラエル人ガブリエル（ガビ）にはわかった。

「お茶を呑んでゆかないかって、きいてるよ」とガビは通訳した。

「ツヴィ、この二人はあなたの知り合いのベドウィンなの？」とわたしはたずねた。ツヴィはアメリカ生まれだが、現在はこの近くのヤミットの住人だからだ。「ベドウィンの友人はいるけど、この二人はべつに知り合いじゃないよ」とツヴィは答えた。

「お茶に招かれたら、ひとまず、ごめいわくでしょうから、と断わるのが礼儀なの？」

とわたしはガビにたずねてみた。

「ちがう、断わると気分を害するわよ。お茶を呑ませてもらいましょう」

「じゃあ、行きましょうよ。お茶を呑ませてもらいましょう」

そういうわけで、わたしたちはこの見も知らぬ二人のベドウィンの住居に入って行った。床はなく、砂の地べたが床で、もちろん、家具などいっさいない。丸めた毛布のようなものが、二、三置いてあるだけだ。そこが居間兼客間とでもいうのか、奥のほうのうす暗いところに、地面に浅い四角い穴が掘ってあった。

それが囲炉裏だった。囲炉裏には白っぽい光を放つ火が入っていた。年上のほうのベドウィンが、そだを細く折って囲炉裏にくべ、フーッフーッと吹くと、そだがぼうぼうと燃え上り、火が大きくなった。

そのあたりにすわりなさい、というようなことをいわれて、わたしたちは砂地にぺたりとすわり、主人が茶を入れてくれるのを眺めていた。

主人は若いほうのベドウィン青年に水をもってきなさい、というようなことをいったので、青年はどこからか水をもってきた。主人はアラビア文字が印刷してある袋から茶の葉を一つかみ、二つかみ取り出し、アルミのやかんにじかに入れた。

「ガビ、このお茶はどこからきたのかきいてください」

「コノオ茶ハドコカラキタモノデスカ、ゴ主人？」

「コノ茶ハだますかすカラキタ」

「そう、ダマスカスのお茶ですか？」

茶を入れたやかんに、主人は冷たそうな水を注ぎ、それからそこへ多量の砂糖を加えた。

「茶の葉と砂糖を水から煮るのですね」

「ゴ主人、茶ノ葉ト砂糖ヲ水カラシタテルノガ、アナタガタノフツウノヤリカタデスナ？」

「サヨウ。フダンナラ、コレニ多量ノすぱいすヲ加エマスガ、客人ドモニハ強スギルト思ワレルノデ、キョウハすぱいすハ手加減シマショウ」といって彼は、ひめういきょうを一つかみ入れた。

やかんに蓋をして、それから火にかけたのだが、火にかけるときには、ちょうど日本の五徳そっくりのものを使う。わたしは目を見張った。これはまさしく三脚の五徳ではないか！

なぜ、ネゲブ砂漠のベドウィンと日本人がまるでそっくりの五徳を使うのか？　頭に血がのぼってしまった。でも、そんな様子は見せず、同行の男性三人に「このやかんを支えているものは、日本で使うものにそっくりですよ。第一、この炉がだいたい不思議です」といった。三人は日本人ではないので、あまりピンとこないようで、そりゃ人間が使う道具だ、似たものはいくらでもあるだろうさ、というようなさりげない態度だ。

これは五徳である、これはたしかに五徳である。でもなぜ、ネゲブの砂漠のベドウィンがあたしたちと同じ五徳を使う？　とわたしは心の中でくりかえした。

ベドウィンの男たちが囲炉裏のかたわらにすわるそのすわりかたも、ペタンと折った脚を開くような恰好で、それがまた不思議だった。西欧系の三人の男性はあぐらをかいていた。わたしはどう坐っても気持がぴったりしなくて、もぞもぞ動いては、なんとなく誤魔化すような、あいまいな姿勢で坐っていた。

ベドウィン男性二人とガビが色々話していたが、話の内容は「住居」に関するものだった。「オレタチハココニスデニ十八年モ住ンデルゾ」と彼らはいった。ガビは英語で、「やっこさんは十八年といっているが、彼らは数を数えることはできないのだから、十八年というのは、きわめて長い歳月という意味だな」といった。

ガビが「コウイウ小屋ジャナクテ、チャントシタ家ガ欲シイト思ウカ」とたずねると、主人の目の色がさっと変り、「欲シイガ自分デ建テタ家ジャナクチャイヤナノサ」といった。

あとでガビの説明を聞くと、主人はガビをイスラエル政府の役人かなにかと考えたらしい、つまり、イスラエルの政府がベドウィン対策として集団住宅を建てたり、いま住んでいるところから追い立てたりするのではないか、とひどく警戒の色を見せた、ということだった。

　主人がわたしを指さし、ガビにたずねる。

「コノ女ハドコカラキタノカ？」

「コノ女ハニホンカラキタノダ」とガビは答える。「ニホン、テキイタコトアルカイ？」

「アルトイエバアルヨウナ、ナイトイエバナイヨウナ。デモ、ドウセ遠イトコロダ。知ッテテモ知ラナクトモ、オレニハ同ジコトダナ」

　わたしはなるほどと思った。

　やがて湯がたぎり、お茶ができ上った。ガラスのコップは三個しかない。コップは洗ったままで濡れていたので、だから主人が指をつっこんで、内側をぎゅうぎゅうとこするようにして水分を取り除いた。布巾はないのだな。指が「人間布巾」だ。水分を取り除いたコップに濃く出た甘いお茶を注いでくれた。おかしなことだが、わたしたち四名が、どのような順序で三つのコップを使ったかいまはどうしても思い出せない。

　わたしはいつも、それまでに接触したことのない民族の家を訪れると、そこでは女はどう振舞い、どうあつかわれているか、ということにまず関心をもつのだが、このとき、どういう順序で四人が三つのコップを使ったか、どうしても思い出せない。ベドウィンは回教徒やドルーズと呼ばれる人々とちがって、宗教的な束縛を自らにあまり課さないので、宗教的な束縛や教理から派生してくる異性間の礼儀や禁忌や不平等からもかなり自由であるように見える。遊牧生活というものが本来そういう傾向を生むものなのだろうか。同時に、なんとなくベドウィンには折衷的な感じもある。

たしかに、一番最初にお茶をもらったのはわたしではなかった、というところまでは記憶があるのだが、その先がふっつりと思い出せない。どうも、ガビかなんかが仲介者的にふるまって、二つ目か三つ目のコップをくれたような気がする。

しばらく話をしていると、ベドウィンの若いほうが主人になにかをいい、主人もそれに答えるというやりとりがあって、若いほうが席を立った。若いほうはここで働かせてもらっているというような感じだった。話を総合すると、主人格のほうは独身で、若いほうには妻子がある、ということだったが、妻子はどこにいたのだろう？　どこかべつのテントに暮していたのだろうか？　黒々とした大きな目の、若いほうのベドウィンには、美しい小姓のような感じがあって、この男性二人のあいだにはなにがあるのだろうかと、わたしは気をまわした。

「男が二人だけで砂漠に暮してる、一人はベドウィンとしては異色の独身者です、きっとなにかあるのよ」とわたしはいったが、中近東の歴史家であるガビは一言のもとに「ありえない！」といった。なぜ、彼にそれほどの自信があるのか、よくわからない。

「ありえない！」だなんて——。

　やがて、先ほど外へ出ていった若いほうが、外でなにごとかを叫ぶと、主人も大急ぎで出ていった。どうしたんだろ、といいあっているわたしたちのところへ主人がもどってきて、「山羊ガ子ヲ産ンダノダ」と報告した。見たければきなさい、ということだったので、小屋を出て、ぐるりと裏へまわると、七、八頭いるうちの一頭がいまちょうど子山羊を産んだところ。母山羊はまだ血を流しながら、それでももう懸命に子山羊のからだを舐めてきれいにしてやっている。産んだばかりで、痛くはないのだろうか、とわたしは思ったが、母山羊はただもうせっせと子山羊を舐めている。その母山羊を手伝うようにして、若いほうのベドウィンがボロ布でやはり子山羊を拭いていた。子山羊の姿は一頭しか見えなかったが、かたわらに濡れたかたまりのようなものが落ちているので、これはなに？　とたずねると、誰かから、死産の子山羊だ、という答がかえってきた。母山羊はそれには見向きもしない。死産の子山羊は母山羊に舐めてもらっている子山羊のおよそ半分ぐらいの大きさで、黒ずんで、ドブから拾い上げたベルトみたいだった。死産の子山羊を見て、わたしは落ち着きを失った。細く黒ずんだ、死んだ子山羊。ついに目を閉じたまま、それこそ胎内の闇から、砂漠の闇にすてられる子山羊。

　母山羊にきれいにしてもらっているほうの子山羊は、もうすでに目を開け、立とうとさえしている。なんだかあまりにあっけない即席的な誕生風景で、それがまた奇妙だって行った。若い黒々とした美青年のベドウィンが死んだほうの子山羊を足をつかんでぶら下げた。

「いやだ」とわたしはいった。

「神は与え、そして奪う、というじゃないか」とかしこい男が答えた。

子山羊はもう立ち上り、ゴクゴクと乳を呑んでいる。

二人のベドウィンは全然なにごとも起こらなかったかのように、日程のつぎの作業にとりかかろうとしていた。三頭の駱駝を、つないであった柱から解き放つ。お茶の時間はもう終りだ。

はだしで、長い黒っぽい服を何枚も重ね着した二人のベドウィンは大声でかけ声をかけながら、駱駝を引いて砂丘をのぼって行った。あとに、強い日差しの中、砂地に広げられた何枚ものシャツや上着や外套の洗濯物が残された。

そして、胡瓜の畑に無造作にかけられたビニールが砂漠の太陽に白く反射していた。イスラエルの砂地で胡瓜の栽培をするときは、気温を保ち水分の蒸発をふせぐためだと思うが、いわゆるビニール栽培をする。ユダヤ人のキブツや農場では、ちゃんと骨組を作って、それにビニールの覆いをかぶせるから、それらは丈の低い簡易温室といった感じで、整然と秩序立って、見た目にも恰好がいい。ところが、ベドウィンの場合は骨組もなにも作らず、胡瓜の上にただドサリとビニールをかぶせてあるだけなのだ。誰かが誤って落として行ったビニール・シートが、風に舞い、胡瓜の畑に飛んできて、偶然胡瓜の上にかぶさった、という感じだ。

それがわたしには現在のイスラエルに住むベドウィンの生活を象徴的にあらわしているように思えてならなかった。

ベドウィンとはもともとアラビア砂漠の遊牧民をいう名称だ。お茶をご馳走してくれた砂漠の住人は、「スデニココニ暮シテ十八年」といった。遊牧生活をすてて久しいわけだ。そのうちに胡瓜なども栽培するようになった。農耕生活は彼らの生活にとっては一大変化であったはずだ。胡瓜の栽培も、「先進的農業」がやってるのを真似て、ビニールをかぶせた。

でも、ビニールはただ「おっかぶせて」あるだけだし、胡瓜を栽培しているといってもほんの二、三列、おしるし程度に植えてあるだけである。全力で同化もしないし、全力で能率的な農業をするわけでもない、かといって伝統的な遊牧生活を守るというわけでもない、その態度がわたしにはおもしろく思えた。工業や化学農業が砂漠を少しずつ変えてゆくのを見てきた彼らは、たしかに変化が彼らの伝統的な生活様式をおびやかしはじめたことに気づきはしたが、永劫回帰のリズムと周期のうちに営まれてきた遊牧生活がすっかり終るだろうとはまだ信じていないのかもしれない。

通りすぎる自動車の窓から、砂地に子供たちと山羊を従えて、黒い長い服をつけ頭をおおいかくしたベドウィンの女が、じっと身動きもせず立っているのを見かけたりすると、わたしだってその女はもう何千年もそうしてそこに立ちつくしてきたのだと考えてしまう。そして、明日も、そのつぎの日も、やはりじっと身動きもせずに立ちつくしているだろうと。まるで絵のように。

砂丘を斜めに降りてゆくベドウィン一家の姿を見かけたこともある。夕方で、陽はすでに低く傾き、彼らの長い影が砂に落ちていた。それもまるで絵のようだった。

でも歴史は絵ではないのだろう。その証拠が砂漠におしるしばかりに植えられた胡瓜であり、それにバサリと無造作にかけられたビニールだ。

ただ、まさしくその胡瓜畑がおしるしばかりの気のないもので、ビニールもどうでもいいように放り出すようにかぶせてあることが、彼らの「マア、ドウデモイインダケド一応ヤッテミルカ」というような、あまり思いつめたところのない、なんとなく行きあたりばったりの気風があらわれているようでおもしろいと思った。

気乗りのしないことを丸出しにしていることがおもしろい。砂地に洗濯物を全部平らに広げることで洗濯物を乾燥させるという、悠久の時間を通過してきたその光景と、胡瓜畑のビニールが、強い日差しの中に並んであったそのありさまが変に心に残っている。

銀行で

わたし　あのう、この外貨をあずけて口座を開きたいんですけど……
銀行員　そう。
わたし　あのう、外貨で入れたものは外貨で引き出すことができると聞きましたが。
銀行員　そう、はじめからそういう種類の口座にしなくちゃだめですよ。
わたし　はあ。では、そういう種類の口座にしてください。
銀行員　ちょっと待ちなさい。そのまえにやってしまいたいことがあるのよ。
わたしは長いこと待った。ようやく、銀行員女史の手があいて――。
銀行員　ええと、なんでしたっけ？
わたし　あのう外貨の口座を開きたいんで……
銀行員　あっ、そう。じゃあ、ここに名前と住所と金額を記入して。
わたしはいわれたとおりにして、用紙を渡した。
銀行員　ふん、ふん……。はい、これでいいです。で、お金は？
わたし　ここにあります。

銀行員　それでは、これでいいです。
わたし　えっ？　あのう、通帳はくれないのですか？
銀行員　通帳ですって？　あなた、なぜ通帳がほしいんですか。さっき、預入伝票のコピーをあげたでしょう？　それでじゅうぶんというものでしょう？
わたし　でも、わたしは通帳が欲しい。
銀行員　なぜです？　なぜ通帳などが欲しいのですか？　どうしてもというのなら、作りますけどね、でも、通帳なんてあったってなくたっておなじことでしょ？
わたし　そういうものでもないでしょう。わたしは通帳が欲しい。いくら残っているのかつねにわかっていたい。
銀行員　差引残高については、こちらから郵便で報告が行きますよ。
わたし　毎月ですか？
銀行員　まさか。三ヵ月に一回です。
わたし　三ヵ月後にはわたしはもうイスラエルにはいないんですよ。そのときに差引残高を報告してもらってもどうにもなりません。だから、通帳が欲しい。つねに残高をわかっていたい。ぜひ。
銀行員　あなた、銀行を信用しないんですか？　銀行を信用しないんじゃ、全然話になりませんよ。銀行に口座を設けよう、銀行と取引きしようっていう場合は、まず銀行を信用しなくちゃだめじゃないですか！

わたし　信用するもしないも、わたしはただ通帳をくださいといってるだけで……。

銀行員　銀行を信用しなくちゃだめですよ！

わたし　わかりました。信用します。だから通帳ください。

銀行員　どうしてもというのなら作りますよ。さっきもそういったでしょう？　でも、銀行というものは信用のうえに成りたっているのですから、それが基本ですよ。

わたし　はい。

と答えて待っていたら、ようやく通帳をくれた。見ると、金額は全然書きこんでない。

わたし　金額が記入されてないですね。

銀行員　あなた、通帳くれ、通帳くれというからあげたじゃないですか。口座番号も氏名も書きこんであげましたよ。金額ぐらい自分で記入しなさい。

雨の兵士

その日はどしゃ降りの春の安息日だったが、わたしたちは車でガリラヤ湖へ向った。わたしの夫とその父親とわたしの三人である。目ざすはキブツ「クファール・ハナシ」。クファールとは村、ハナシとはかの大統領という意味だが、かの大統領とはイスラエル初代大統領ハイム・ワイツマンのことである。つまり、このキブツはワイツマンにちなんで名づけられたキブツである。イギリス系の人々がその成員の中核だ。

イスラエルの雨期は晩秋にはじまり、春まで続く。北はすっかり緑色で、ぬれた森のなかには野生のシクラメンが群生している姿が見える。わたしにとって、シクラメンといえば鉢植えで、玄関の靴箱の上に飾るもの、買うときは銀紙に包んであって、布施明が歌う花だ。野生のシクラメンといえば、わたしはイスラエルへくるまで、そのようなものがあることさえ知らなかったので、ハイファの借家の庭にその花々を見つけたときは、ほんとうにびっくりしてしまった。花は一重で、白とピンクの二種あるが、萼の近くは白い花の場合ピンクで、ピンクの花の場合はずっと濃い目のピンクで、色の境界はぼかしのようになっている。花の大きさは土壌の質などによって異なるようだが、わたしの借家の庭のそれは丈が四センチぐらい、先のもっとも太い部分の直径が三センチぐらい。茎の長さは十センチぐらい。葉は厚く、平均、長さ九センチ、幅七センチぐらいだろうか。予想もしてない花をある日突然見つけて、わたしはあらためて、ここの人々はわたしが体験したことのない季節を、まったく異質な周期をくぐって生きているのだと感じた。野生のシクラメンの開花は、雨期の終りが近いことを告げ、目まぐるしく変化する野生の花々の開花を予告するものだ。シクラメンが終る頃、野には野生のグラジオラス、けし、豆科の花々、デイジーなどが、ある一定の順番を正確に守って咲く。とつぜん暑い日があったりすると、野の様相は一挙に変化し、昨日まで咲いていた花々はすっかり立枯れて、それまで姿さえなかったと思われる新しい花々がいっせいに咲いてしまったりする。そんなとき、その変化の烈しさに、わたしは「わたしの庭」は狂っていると思った。そういう気性のはげしい、こちらが予想を立てることを拒むような季候はわたしが育った風土にはない。昨日まであった野生にんじんの花、「アン女王のレース」がすっかり消えて、とげっぽい葉に守られたまっ黄色な名もわからない、強そうな花ばかりが一面に庭を覆っているのを見た朝、わたしはひどく気持が乱れた。そのとき、ふと、わたしはベドウィンの女たちのことを思った。あの女たちが、真夏でも黒い長い服を着て、腕も露出せず、頭もすっかり覆っているのは、なにも暑さから身を守る、というような合理的科学的な理由、あるいは「女としての場をわきまえるよう」にアラブ社会から押しつけられた非人間的拘束の結果だというような理由だけではなく、気持の平衡を守るためではないかと考えてしまった。女たちは気性の烈しい、めまぐるしく変化する温順ではない自然からその心を守るために、頭から爪先まで黒く重い布で覆って、みずからの内なる世界を包みこんでしまうのではないか。狂ったような野を眺めているうちに、自分も狂ってしまうかもしれないではないか。

シクラメンが咲いていた、と書いて、狂気の春の庭のことに脱線してしまった。もう一度、どしゃぶりの春の安息日のことにもどろう。

ちょうど、ツファットへ向う道を走っているときだった。道路の曲り角になっているところに、一人の兵士が立っていて、わたしたちの車に止まれという合図をした。わたしたちが、なにごとであるか、わたしたちをアラブ・ゲリラと誤解したのか、と思いつつ、ともかく車を止めると、兵士は車のうしろのドアを開けるように合図する。後座席にすわっていたわたしは、指図どおりにドアを開けた。すると、兵士はそのまま車に乗りこんできて、ツファットまでゆきたい、といった。

なんのことはない、この兵士はヒッチハイカーの兵士だったのだ。ゆるぎない威厳をただよわせて、止まれの合図をするから、こちらが勝手にパトロールの兵士だと思いこんだだけだ。

考えてみれば、安息日や安息日がはじまる前にヒッチハイクする兵士たちは、いつだってゆるぎない自信をもって、合図する。止まりたまえ、という感じで。それは安息日そのものと関係があることだ。

　イスラエルでは、とりわけ若い人々は宗教や信仰について、口ではいやに割り切っている。彼らは「信仰のない者」と「信仰のある者」というように、全人口を黒と白にわける。ところで、「信仰のない者」というのは、表面的には、神を信じない、神がモーセを通じて与えた法を守らない、すなわち、宗教的な意味のユダヤ人らしさを意識的にすてている、という意味だ。そりゃ、自分たちはユダヤ人だ、だって、祖父も父も、祖母も母もユダヤ人だからな。だが、それが意味するところは、あくまでも歴史的・社会的だ、と断言する。むしろ、ユダヤ人であることは偶然みたいなもので、べつに非ユダヤ人と世界観や価値観の上で異なるところはありはしない、という。

　彼らによると、いっぽう、「信仰のある者」とは、モーセの法を、すなわちタルムードによって解釈され体系化された「トーラー」（律法）をできるだけ字義どおりに守ろうとする、時代錯誤者、保守主義者だということになる。そりゃ、人間は自分が正しいと思うことをすべきだから、彼らがそうありたいと思うなら、それも連中の自由だが、と彼らはつけ加える。

　表面的には、この「信仰深いユダヤ人」と「信仰なきユダヤ人」は、たがいに疎外され、共有する部分をもたずに暮らしているかのようだ。もちろん、それはあくまでも、

「信仰なきユダヤ人」と「信仰深いユダヤ人」というふうに、人口を二分することは可能だ、と考える人々の話を聞いているとそういう感じがする、という意味にすぎない。

といっても、現実そのものは流動的だ、というわけでもない。いわゆる正統ユダヤ主義派と呼ばれる、おそらく、二〇パーセントほどのイスラエル人は、そうでない人々に対して実質的な影響力をもっているようには見られない。精神的な指導者である、とはとうていいえない。ひどいいいかたをすれば、彼らは歴史とどう関われればよいかを身をもって示してはいないし、逃げている。いまが二千年前のパレスチナであるふりをして生きている。それが真の意味でユダヤ的ではないかもしれない、とは考えない。「メア・シェリム」と呼ばれるエルサレムの一郭には、きわめつけの正統派イスラエル・ユダヤ人が住んでいるが、その一郭を見て衝撃を受けるのは、それが東ヨーロッパの都市にあったユダヤ人・ゲットーを彷彿させるからだ。その一郭全体が壁で囲まれたように造ってあって、門を入って、はじめてそこに人々の日常生活があることがわかる。閉ざされたゲットーの構造そのものが再現されているのだ。これを建てた人々は、ゲットーの構造以外に、街というものを知らなかったのかもしれない、とも思う。だがいっぽう、もしかしたら、これは意識的な身振りであったのかもしれないとも思う。みずからを外に対して閉ざすことを、彼らはそのとき選び、いまも選び続けているのではないか、と。もし、そうだとしたら、これら、きわめつけユダヤ人たちは、もっともユダヤ的でないユダヤ人だ。

人口を白黒に分別せずにいられない青年たちは、そのことをおそらく嗅ぎとっている。けれども、そのにおいに鼻を覆いつつも、では、いまユダヤ的であるとはどういうことか、という問に対して彼らは答えるすべを知らない。いや、言語化するすべを知らない、というべきだろう。

あるいは、おそらく、「ユダヤ的であるとはどのようなことを意味するのか」という問を問い続けることが、もっともユダヤ的な行為である、ということを意識していない、といえるかもしれない。彼らは妥当な問を自らに投げかけることができるかどうかという、ユダヤ的試練そのものから疎外されているようだ。

だが、そうであるにしても、言語化されもせず、意識の表層に浮上しないことの多くが人間の生活を支配している、ということも事実だ。「信仰深いユダヤ人」たちは問うべき問を問うことをやめてしまい、「信仰なきユダヤ人」たちは問が問われなければならないということも知らされずに生活しているにしても、イスラエルはまさしくユダヤ人の国である。彼らの暮しはユダヤ的なものに支配されている。

ここでようやく、わたしは安息日の兵士たちのヒッチハイクについてのべることができる。

安息日は金曜日の日没からはじまり、土曜日の日没とともに終る。習慣では、日没十八分前に安息日を迎える蠟燭を燈し、安息日を送る祈禱は土曜日の日没からおよそ半時間後に行なわれる。カバリスト（神秘主義者）たちは、安息日を花嫁と女王にたとえ、「花嫁を迎えよ。女王を迎えよ」と歌ったが、それがいまではカバリストのみでなく、安息日の前夜の礼拝で一般的に歌われるようになっている。

アブラハム・ヘシェルは「安息日」を時間の城にたとえた。ユダヤ人は神殿ももたず、礼拝のためだけの教会というものももたず、偶像を置く城ももたない。彼らは時間の中に城を構築する、という。空間に聖域を設けるかわりに、時間に聖域を設けると。時間は構造を与えられ、識別され、区別される。時間は実体となり、ユダヤ人はある一つの構造をもつ時間から、異なる構造をもつ時間へ歩み入る。そこを立ち去るときがくれば立ち去るが、彼らはそこをふたたび訪れることができることを知っている。

安息日はユダヤ主義の教えの中でも、中心的な位置を占めるものだとわたしは思うが、イスラエルはその安息日を守ることによって、きわめて特異な時間を毎週経験するのだ。それが特異であるのは、「休む」ことにあるのではない。「休む」ことなら、べつにユダヤ人でなくたってする。安息日とは、「第七日」、すなわち神が天地創造を終了したといわれる「第六日」の次の日で、神もその日は「休んだ」ということだ。その後、シナイ山で神はユダヤ人たちに、七日目は休め、創造の記憶を新たにするために休め、と命じた。「休め」とはどういう意味か。「七日目を聖なる日とせよ」とも書かれている。「聖なる日」にするには、どうすればよいか。あるラビは、創造的なことはするなという意味だと語る。人間がなにもしなくたって、天地は機能することを認識するための日だ、謙虚になる日だ、と。

ユダヤ人はさまざまな解釈と意味づけを行ない、週の第七日を構造的に他の日とは異なる日にしようとしてきたのだ。ヘブライ語では月、火、水というような週日の呼び名はなくて、第一日、第二日というふうにいう。第一日とは第七日の安息日から数えて第一日目、すなわちクライマックスの翌日、次のクライマックスからもっとも遠い日である。

安息日には、週日は「犬のように」働く人間も王のようにふるまわなければならない、といわれている。週日はたとえ、「犬のように」尊厳を奪われて暮しに追われようと、安息日には神のイメージに似せてつくられたという人間にふさわしく、苦しみや小さな野望を忘れて生きろ、といわれている。

そう、それはたしかに時間の城であり、時間の聖域だ。もっとも深い意味で、「宗教的」な時間である。

イスラエルでは、安息日にはすべての店がその扉を閉め、すべての公共の交通機関が止まってしまう。よそからやってきた者でも、うっかりすると、土曜日に冷蔵庫には食べる物が全然ないのに店へいって買うこともできないという経験をくり返すうちに、しだいに安息日に向けて具体的に準備をする習慣を身につけるようになる。具体的な準備にはやがて心の準備がともなうようになり、知らないうちに、よそ者ですらこの「第七日」のクライマックスに向けて暮すようになるのだ。

もっとも深い意味で、またおそらくは言葉の真の意味で「宗教的な」構造をもつ第七日を安息日とすることで、イスラエルはその意識の深奥にユダヤ性を保っている。第七日は土曜日で、彼らの第一日目はわたしたちの日曜日にあたるが、わたしたちの日曜日はかれらにとっては、月曜日である。日曜日、かれらの生活は週日の、ふつうのそれにもどる。世界じゅうが休んでいるときにだ。

また、すっかり脱線してしまった。雨のヒッチハイカーのことにもどらなければならない。脱線したのは、その兵士にはヒッチハイクをするよりほかに、どのような帰省手段もないということを説明するためだった。それともう一つ、兵士たちはヒッチハイクの車を十回乗りついでも、安息日にはなんとかして家へ帰るということである。わたしたちが車に乗せた兵士は、その日の朝、ずっと南のアシケロンの隊を離れ、家へ帰るところだった。翌日の朝までには、また隊へもどらなければならない、ということだった。これでは、たしかに安息日は「休む日」だなどとはいえない。そう感じながら、兵士たちはそれでも家族のところへもどる。

兵士は花をかかげて家へ帰る。彼らは皆一様にひどく若い。一八歳から二一歳までの、少年のような兵士ばかり。髪を短かく刈りこんだ、ひきしまった細いからだの若い兵士たちが、制服を着て銃を肩にかけ、腕に花束をかかえて家へ帰る。金曜日の午後の高速道路傍には、こういう姿の兵士が無数に手を上げて立っている。いや、手を下げて、というべきか。彼らはアメリカ人のように、親指をつき立てて方角を示したりしない。地面を指差すように腕を斜め下にのばして立っているのである。

花束をかかえた子供のような顔つきの兵士たちは、金曜日の風景の一部である。「信仰深き」正統派の男たちが清く安息日を迎えるべく「みそぎ」場へ急ぐ姿と同等に、それは安息日の一部である。

それにしても、この雨の安息日の兵士は、ヒッチハイクをしたいという希望を表現する身振りをしつつ山中の道に立っていたというよりは、ちょうど検問中のMPかなにかのような恰好でわたしたちの車を止めた。わたしたちは検問だと頭から思いこんで停車した。だから、そのMPのはずの兵士がもそもそと車に乗りこんできたときには、一瞬度肝をぬかれた。すぐに彼の行動の意味はわかったが、もうそのときはすでに「検問だと思ったから止めたのですよ。降りてください」というには遅すぎた。新聞にはしじゅう「兵士を車に乗せてやりなさい！」というキャンペーン広告が出ているのだから。

湿ったカーキ色の制服のその若い兵士からは不思議なにおいが立ちのぼっていた。錆のようなにおいだ、とわたしは思ったが、でも、錆のにおいであるはずはない。銃は磨きこまれているはずだ。いやしくも兵士の銃である。きっと、これは銃の鉄分のにおいだ、とわたしは思った。銃のにおいをかぐのは、わたしは生まれてはじめてだった。それは鼻をつくきついにおいで、なんか歯ぐきが刺戟されるような性格のものだ。小型車の湿った空気いっぱいに、銃のにおいが満ちた。

わたしはヘブライ語で兵士と話していたが、とつぜん彼は「わたしは英語もしゃべれますよ。英語でしゃべってもいいんですよ」といった。わたしはどう答えていいかわからないので黙っていた。彼はたしかに若い兵士だったが、徴兵年齢の一八歳から二一歳という年齢層にはすでに属してはいないように見えた。けれども、銃のにおいに混ざって立ちのぼる兵士のからだのにおいは、日向で一日じゅう遊んできた子供のそれのようなにおいでもあった。

やがて彼は車を降りていった。わたしたちの車が彼の目指す方角から右にそれていったからだ。彼が降りていったあとも、車のなかには鉄のにおいが残っていた。

わたしは前の座席にすわっていた夫と夫の父親にいった。

「とうさん、もう兵隊はひろわないで」

「なぜかね？」と夫の父親がきく。

「鉄砲のにおいがきつくてたまらないから。だからもう兵隊はひろわないで」

「いいとも。でも、あれは鉄砲のにおいじゃない。鉄砲を磨く油のにおいだよ」

「そうなの。でも、いやだ、あのにおいは」

どしゃ降りの安息日の雨が運ぶ湿気が車のなかに満ち満ちて、そのただなかに、兵士が残していった鉄のようなにおいと日向で遊んできた子供のようなにおいが、じっと身動きもせずすわり続ける。

スバル

イスラエルである日レンタ・カーして、運転開始と同時にラジオのスイッチ入れたら、

〽ああー　あなたの未来は　あたしとおなじ
ああー　あたしの未来は　あなたとおなじ　だってさ！
レンタカーで借りた車がスバルだからだよ。放送局は
——地中海のどこかからおとどけする、ヴォイス・オブ・ピース！
というアンダーグラウンド放送局で。
そういうわけで、まっ青な地中海を右手に見て、岩崎ひろみちゃんの声を聞きつつスバルを飛ばしてさ。
でも途中でずいぶん多くの戦車を見た。トラックに載（つ）んであってね。十六台くらい見た。朝のニュースでは、シリアがその軍隊を動かした、というようなことが伝えられていたりして——。

あるべつのとき、ハイファの自分の台所でアラブ風のサラダの野菜を細かく刻んでいたら、また――

「地中海のどこかから……」

と自称「平和の声（ヴォイス・オブ・ピース）」がラジオの電波にまたがり名乗りをあげたかと思うと、こんどはなんと、フォー・リーブスの声が！　コウフンしてしまう！

乗り合いタクシーの中で

メルセデス・ベンツの八人乗りが、乗り合いの長距離タクシーとして使われていて、それはシェルートと呼ばれている。シェルートとはサーヴィスという意味だ。そのシェルートに乗って、ハイファからテルアヴィヴに向ったある午後のこと、わたしのとなりに坐った老人はハンチング帽を被ってオレンジを食べていた。わたしはタクシーに乗りこんですぐ、東京からきた手紙を読みはじめたので、はじめ、老人がオレンジを食べていることに気づかず、なぜこの東京のみちこさんからきた手紙はオレンジの匂いがするのだろうかとクンクンとかいでいた。そのうち、もちろんオレンジは隣人のものであることがわかり、わたしはちらりと横目で盗み見たのだ。

老人はていねいにオレンジの皮を剝いていた。それはタンジェリンと呼ばれる種類のもので、鮮やかな橙色。老人は皮を剝くと全体を二つに割って、一房ずつゆっくりと食べる。

ずいぶん長い時間をかけて、彼は一個のオレンジを食べた。食べ終ると、ビニールの袋の口を開けてまた新しいのを取り出し、ていねいに剝きはじめる。見れば、ビニールの袋には買ったばかりらしいオレンジがあと五個入っている。彼はゆっくりと二個目も食べおわり、それでおしまいかと思ったら、また三個目も食べた。四個目も食べた。そして、ときどき「フーッ」と深い溜息をもらす。そりゃそうでしょう。四個も食べちゃ、もう胃がブクブクでしょう。でもそうやって溜息をもらしつつ、彼は袋に入っていたのを全部食べてしまった。合計七個になる勘定だった。

わたしは一体この老人はどういう人だろうか、いままでにオレンジを食べたこともない気の毒な人なのだろうか、と横目でチラチラ見ていたが、横目でそんなふうに見るのも行儀悪いと思って、前の運転席のミラーに映った老人を見ることにした。黙ってオレンジを食べ続ける彼の顔は、ちょうど、そう、フランツ・ハブマンの写真集『ユダヤ人家族アルバム』に載っているような、二十世紀初頭の東ヨーロッパの貧しい行商人の顔などを思い浮かべさせる。首から皮紐かなんかで板を下げて、その板が「店」という按配の行商の写真がある。顎と頬に髭をはやした老人たち。白い髭の老人たち。顔のずっと奥の方に眼がある。

ミラーでチラチラと見ていると、ふと、わたしの背後に坐った若い男が、やはりミラーに映ったわたしを、「この女は一体何者だ、このアジア人は何者だ?」という顔つきで観察しているのに気がついた。わたしは濃い色のサングラスをかけていたから、わたしもミラーをのぞいていることに、この青年は気づいていないよう。ともかく、そんなわけで、わたしはちょっと落ち着きを失ってしまった。

老人は七個目のオレンジを食べおわると、いまはカスとなったオレンジをビニール袋にしまい、ていねいに袋の口をしばって、それから両手でささげるようにしていた。タクシーの運転手は、そんなもの俺の車の中に残してゆくなよな、という目付きでときどき後を振り返っては老人を睨みつけるように見ていた。

老人はオレンジの皮が入った袋をささげるように持ったまま、居眠りをはじめた。あれだけ食べれば眠くもなるだろう。

そうこうするうち、車はテルアヴィヴの都心に入る最初の交差点の赤信号で止まった。いや、じつは、止まるのかなと思ったら、車はギシャギシャと動いて左側の車線にツツと出たのだ。ナニカ？　と思ったら、右手に見える大型トラックの様子がなんとなくおかしい。

おかしいはずだ。トラックはちょうどその鼻先に、ある乗用車の後部をひっかけて立往生していたのだから。イスラエルではよくファイバーグラスで車体ができている車を見かけるが、この巨大トラックはなぜかそうした種類の車に追突したようだった。追突してあわててバックしたのだろうが、そのとき、その車の後部パネルの部分をバリッと取ってしまったらしい。ほんとうに鼻にひっかけるようにして。さいわい人身事故はなく、前に止まった自家用車の持主とトラックの運転手がすでに交渉を行なっていた。

とそのとき、わたしの隣のオレンジ爺さんがふと目を覚まし、

「ああ、これは修理できるよ」といった。

「えっ、修理できますか？」とわたしがついつられていうと、

「おっ、おまえはヘブライ語以外に何語をしゃべる？」という。

「英語と日本語ができます」と答えると、

「日本語！」といってすっかり感心してしまった。

このときオレンジ爺さんはわたしのほうに顔を向けていたので、わたしはまっすぐに顔全体を見ることができた。

彼はこういった。

「日本人は日本語をローマ字化するつもりはないのかね？」

そこでわたしは答えた。

「イスラエル人がヘブライ語のヘブライ文字をやめてローマ字にしたら、ヘブライ語を殺すようなものでしょう？　それと似たところがあって、やはり日本語もローマ字にしないほうがいいのです。西洋人はいつも日本語をローマ字にしろとか、日本語の文字を覚えるのは大変だろうとか、勝手に心配してくれるけれど、日本人はあなたがたが想像するほどにはべつに困ってはいないのですよ」

「そうか、そういうものか」

彼はそういって、ほっとしたというような表情でにっこりと笑うのだった。わたしはそのような笑顔をそれまでに見た記憶がない。

自分はイスラエルで生まれたけれど七ヵ国語をしゃべるというそのオレンジ爺さんと三分間ほども話していただろうか、突然彼は、

「そこ、そこ、そこの停留所でぼくは降りますよ」と運転手にいった。

そして、

「ああ、せっかくおもしろい話がはじまったところで残念だけど、ぼくは降りますよ。さようなら、さようなら」といって降りていってしまった。でも、あんなにいい笑顔には、わたしはほんとうにあれっきり出会ったことがない。

鋼鉄（はがね）の思想

これはアフィキムという名のキブツに住む友人に聞いた話である。

アフィキムはもともとロシアからの移民によって一九二〇年代にはじめられた、左翼労働運動系統のキブツである。おそらく、アフィキムはイスラエルのキブツの中でも最大のものだろう。メンバーは二千人といわれている。メンバーが二千ということは、メンバーの子供たちの数などはそこに含まれてはいない、ということである。年老いた親をよそから呼びよせてキブツに一緒に住まわせるような場合も、やはりメンバーとしては数えられない。

さて、このアフィキムは数年前に分裂して、分派がアフィキムを出ていった。そして、道をへだてて向い側に新しいキブツを設立した。

新しいキブツはアシュドット・ヤコブと呼ばれ、やはりかつてのロシア労働運動の思想がその基礎に強く残っている。労働せよ、労働こそ神聖である、労働しない者は堕落頽廃の恥ずべき存在であるという考えが深くしみこんでいる筋金入りのキブツである。

ところで、ここに一人の女性がいた。彼女はアフィキム創立時代からのメンバーで、はえぬきだった。彼女はもちろん、女だから、あれはしない、これもしない、というようなブルジョワ的思想とはきっぱりと縁を切ったところで、思想も行動も正しく暮したのだった。灌漑用の溝も掘ったし、牛の糞の始末もしたし、トラクターだって運転した。模範的キブツ員として数十年を生きたのだ。

その彼女は六〇歳になった日、「もういい」と考えた。あたしはもうじゅうぶんに働いたと思う。できることはなんでもしたし、ときにはできないことだってやった。身を粉にして、ただただ厳しい労働の毎日を生きてきた。もうこれでいい、このへんでいい、事実あたしはもういやだ、もうこれ以上は働けない、と思った。

キブツの総会が開かれた日に、彼女はメンバー全員のまえで、その日をかぎりにもう働かないつもりだから、と宣言した。

そのような態度は正しくない、と親しい友人がいい、彼女を労働の生活に引きもどそうと説得を試みた。彼女を日頃から好いていなかった人々は、「ほら、みろ、ボロが出た。プチ・ブル的本性を露わにしたな」といいあったものだ。他人になんといわれようと、彼女の決心は固く、彼女はそれっきり労働をやめてしまった。

それから十年後、彼女は七〇歳でこの世を去った。

葬式の日のことだった。

いよいよ柩(ひつぎ)を墓地へ運ぶ時間になった。ところが誰も柩をかつごうとしない。

「十年前、もう働かないよ、といったときに、彼女は裏切ったんだからな」とある者がいった。

「そうとも、あのとき堕落して、それ以来、全然自己批判しなかったんだからな」と同意する者もいた。

　柩をかこんでいた者たちは皆、四十年、五十年を彼女とともにすごした同志たちである。でも誰も、十年前に労働をやめた同志の柩をかつごうとはしないのだった。

　やがて、一人がうまいことを思いついたというように、にわかにポンと膝を打ち、いったものだ。

「そうだ。自分で歩かせりゃいいんだ。好き勝手にした彼女だ、好き勝手に歩いて墓へ入ったらいいんだ」

　すると、相槌を打つ者がいて、

「そうとも、それがいい、歩かせりゃいい」というのだった。

「そうだ、歩かせろ」

「歩かせろ」

とべつの声が口々にいう。

　そうやって数時間がすぎた。「自分で歩かせろ」といった者たちは、柩の中の彼女がいっこう自分で歩くそぶりも見せないことを図々しいと感じたほどだ。

ガリラヤ湖に夕闇が迫り、果樹園からオレンジの花の甘いすばらしいにおいがキブツにあふれるころ、同志たちは電燈もつけず柩をかこんで、まだすわりこんでいた。

「歩かせろ」

「そうさ、自分で歩かせろ」

ヨセフの娘たち

三月。三月なら、もうあちこちで、狂ったように花が咲いている。でも、エルサレムは寒い。高地に築かれた都市であるから。

その日のエルサレムはみしみしと音を立てるような感じで冷えこんで、わたしは肩のあたりを固くしていた。空気が重く湿っていて、それがコートの裾や袖口から、骨を冷やすようにしのびこむ。

その日、デイヴィッドとわたしは、ヨセフ・モリスという名の青年を訪問して、話をきかせてもらうことになっていた。ヨセフ・モリスなんて、名が二つ連なっていて、姓がないような名前だな、とわたしは思った。ヒロシ太郎みたいだ、と。

ヨセフ・モリスはインド出身のユダヤ人だ、といってある友人が紹介してくれた。一三歳ぐらいのときに理想と夢に燃えて、インドからたった独りで移民してきたのだったが、いまではイスラエルのありかたに対して苦い気持を抱いている、という説明を聞いていた。

一番安いレンタ・カーをして、あちこち迷いながら、どうやら彼の家の住所の近くまでたどりついたので、ちょっと車を止めて、道路で大声を出して遊んでいた子供たちの一群に目ざす所番地を告げると、餓鬼大将のようなのが、「その住所なら、モリスの家だ、モリスの家へ行くんか？」といった。わたしたちは、「そうだ、その通りだ」といって、モリスの住所をいっただけで子供たちがわかることにちょっと感心した。モリス、モリスと子供たちに親しまれている、子供たちには大きな兄さんみたいな青年なのかもしれないな、とわたしは思った。

重く暗く曇ってしまって、じめじめした空気がひどく冷たい。早いとこ、暖かい家にでも入れてもらいたいと思いながら、またしばらく車を走らせると、子供たちが教えてくれたとおりのところに、ヨセフ・モリスの家があった。

彼の家に着くと、まず奥さんのブレンダが出てきた。おなかが膨らんでる。気持のいいひとで、彼女はアメリカはカリフォルニア出身だ。そのうしろに、二人の幼い娘が立っていた。長女のほうは丸顔で、かわいらしいというのがとてもふさわしい顔だ。下の娘はとてもインド的な顔で面長で、黒々とした眼でわたしたちを睨みつけるようにして見ている。

家の中はやけに寒い。居間のようなところに通されたのだが、とても寒い。そこから階段で家の低い部分へ通じるようになっていて、谷間から上ってくるような恰好で、ヨセフ・モリスが石油ストーブをかついで上ってきて、とても臭いにおいのする石油ストーブに点火した。わたしはブルブルと震えて、オーバーも脱げず、ただなんとなく部屋の中を眺めまわしていた。

「いい感じの人たちだ」と思って、わたしはもうずいぶんまえに枯れてしまったらしい、一輪のバラの茶色を見ていた。ドライ・フラワーにしよう、というつもりでそこに置かれたままになったわけでもないし、かといって、捨てるのをすっかり忘れてしまった、というような感じでもない。なんか、部屋全体が未完成な感じがする。それが気持がよかった。この家に住んでいる一家が、どうもそのように、完結しない態度で生きているんではないか、とわたしは勝手に直観して、寒いし石油は臭いしでぼんやりしながらも、ひそかに嬉しくなっていた。

早速インタヴューがはじまる。ヨセフ・モリスはミルク・チョコレート色の皮膚で、インド人らしい容貌だ。ところが同時に、とてもユダヤ人らしい容貌でもあるのだ。ダニー・ケイやトニー・カーティスがユダヤ人だよ、というとこのヨセフ・モリスがユダヤ人だというのは嘘みたいだけれど、逆にモリスがれっきとしたユダヤ人だということを座標軸にとっていえば、ダニー・ケイやトニー・カーティスがユダヤ人だっていうのこそ嘘みたいだ、といわなければならないわけで、軸を単一に定められないところがおもしろい。

ヨセフ・モリスはわたしたちにさまざまなことを話してくれた。ヨーロッパ生まれのユダヤ人にはできないような話ばかりを。ヨセフとの会話の内容はデイヴィッドがべつにインタヴューの本の中にまとめているからここでは書かないが、彼の談話の中でもとりわけ重要だったのは、白人のイスラエル人の、有色のイスラエル人に対する隠微であり同時にあからさまでもあるその態度のことだった。わたしはヨセフの開いた語り口に好感をもった。

四歳と六歳の彼の娘たちも、はにかむのはとっくにやめてしまって、床の上を転げまわっている。なにがそんなに楽しいのか、こちらには見当もつかないのだけれど、さかんにキャッキャッと笑い声を上げている。ズボンとセーターのあいだにお臍がのぞいたりしているのにも全然頓着しないで笑っている。美しい子供たち、とわたしは思った。下の娘の目は、生まれたての黒豹の子供の眼の色だ、とわたしは生まれたての黒豹の子供など見たこともないのに思うのだった。

美しい子供たちの笑い声が続いていた。それを聞いていると、わたしはふと、ブクブクと泡立つ池の水面の下にかくれていた、わたしの意識の中のある暗い部分が、光を見たい、とでもいうようにポッと浮き上がるのを感じたのである。それは子供たちの笑う声に触発されて突然浮上してきた。

いいことじゃないの、とわたしは声に出さずにいった。

いいことじゃないの、子供たちがお臍なんか出したまま、あんなに大きな声で笑う声が部屋じゅうに、家じゅうに響くなんて、とてもいいことじゃないの。それが自分でうんだ子供のそれであろうと、どこかべつのところからやってきた子供のそれであろうと、暮しの空間に、こんな声が響き渡るとしたら、とてもいいじゃないの。うれしいでもないし、楽しいでもないし、生きがいになるでもなんでもない、ただどこかが間の抜けたような「いいじゃないの」という言葉しか浮かばなくて、それではどうも単純みたいな気がしないでもないが、声に出さずにいってみた「とてもいいじゃないか」が、わたしには一つの閃きのようにさえ感じられた。自分でうんだのではない子供らと一緒に暮してみようかしら、という考えに接近する自分をわたしはそのとき見ていたのだ。

わたしは三一、二歳になってはじめて、子供をうもうかと考えはじめた。それも、はじめは自分に対してさえ正々堂々としていない態度で、小声で「そうしてみようか」とちらっといってみるというようにしてはじまったことだ。それまでは、子供がいる生活になったら、わたしは子供の存在に生活を全部もっていかれる、そうなったら、わたしはもう駄目だきっと終りだ、と漠然と考えていたのだ。おもしろそうだがおそろしいことのようで、「どうしようか」と思うたびに、わたしは暗闇から脅迫のメッセージが届けられるような気持がしたのだ。いまとなっても、「そうなればわたしはもう駄目だ」などというのが実際にどういうことなのか一向にはっきりしない。ともかく、「うむのだ」ときめた。「なぜか」と問われたところで、答えることはできなかった。どのような常套語も、わたしには共感をもって使うことはできなかった。ただ、わたしがそうこころにきめたことは正しい、という気持はあったかもしれないが、しかし、「正しい」という言葉を表面に浮かび上がらせたりしたら、それもわたしのほんとうのところを伝えていないとしか思えなくて、癇癪を起こすだけだっただろう。

その頃、わたしは現代思潮社が出した森崎和江さんの評論集『ははのくにとの幻想婚』を読んですっかり感動していた。「二つのことば・二つのこころ」に代表されるような、森崎さんの生きかたや感受性や視線は、そのまま「女」とはなんだろうかという問の中にもはりつめた一貫性をもって息づいている。地下と地獄が同一視される、基本的には農耕民族的な排他性を強くだきしめている「にほんの思想」では、地底の労働者であった炭坑労働者を理解することはできない、地底の労働は異質の、独自の世界をうみだした。それは地上の世界観や価値観では掬い取ることのできない世界だ。その地底の世界を生きてきたのに、石炭産業がすっかり駄目になって、地上にひきずり出されたいい元坑夫と呼ばれる人たちが、地上の住人に対して無口なのは、地上の言葉では地底の世界を語り切れないからだ、と森崎さんはいう。そして、女についても、わたしたちはまだわたしたちの言葉をもたない、と書いた。手にしている言葉はもらい物で、それはどうしても、いわば地上の地底に住んできた女たちを語ることができない、と。森崎さんはまた、生物として子供をうみ落とすことは誰にだってできるが、「女」には、なることしかできない、ただうんでりゃそれが女にしてくれるわけではない、とも語っていた。言葉がないのでその彼女は問うことをやめない。言葉がないのです、というところから出発した彼女は、それでもずいぶん遠くまできたと思う。その彼女の行為を支え続けてきたのは、「私の原型は朝鮮によってつくられた、朝鮮のこころ、朝鮮の風物風習、朝鮮の自然によって。私がものごころついたとき、道に小石がころがっているように朝鮮人のくらしが一面にあった。それは小石がその存在を人に問われようと問われまいと、そこにあるようなぐあいにあった。そしてまた小石が人々の感覚に何らかの影響をおよぼしているようなぐあいに、私にかかわった。……いや、そうではないのである。そのようなかかわり方にとどまっていたならば、加害者被害者の単純な対応図がえがけるだけである。……私は朝鮮で日本人であった。内地人と呼ばれる部類であった。」（朝鮮断章・1――わたしのかお――）ということと、内地にもどってから、彼女が自分のかおを探し求める旅を経た事実だったと思う。日本に帰った彼女を迎えた日本人は、「おくにはどこ？」という問を発して相手を知ったことにしてしまう集団であり、人々はにっこりと出迎えてくれる厚かましさをもっていて、「土民としか呼びようがないなまなましさで私を呑みこむ」のだった。それは「まるきり、くらしの股をひろげている感じで」あったのだ。

朝鮮によって、植民地朝鮮によって作られた自分の顔を語ることの困難を受け入れることによってはじめて、森崎さんは「女」の顔について語るには言葉すらまだない、ということができたのだろう。

そう、肯定的にだって否定的にだって、わたしたちが「くらしの股」を広げずに、いまだ言葉さえないものを呑みこんでしまうことをせずに、自分らのことを語ることはひどくむずかしいのだ。

というわけで、わたしは「うむんだ」と自分にいったとき、それがなぜかを説明できないことは、正当なのだと感じることができるようになった。

闇からの脅迫状もこなくなって、それはそれでよかったのだが、ところがいざとなると全然妊娠しない。しばらくは放っておいたが、一年ごとに一歳ずつ歳は取るのだから、と思って、ちょうどサン・フランシスコに住んでいたとき、スタンフォード大学病院の「不妊問題クリニック」へ通うことにした。

一週間か二週間に一度ぐらいずつ通った。待合室の椅子で本などを読みながらずいぶん待つと、やっと診察室に呼んでくれる。診察室に入ると、全部脱いで、白いシーツを掛けて寝てなさい、といわれる。全部脱いでから、高い診察台によじのぼるのだ。婦人科の診察台はかならず高いから、わたしたちはほんとにいつもよじのぼるようにして上がって、そして白いシーツをひっかぶって、天井を睨みつけながらそこに転がっているのだ。しかも、婦人科の診察台はふつうの診察台の長さの半分くらいしかないのだから、脚をどうしてよいかわからない。あの鐙に足を掛けて待て、というのだろうか。股を広げて四十分も五十分も？　あの高い診察台によじのぼって、蝦のように脚を縮めて転がっていると、いつももう家へは帰れないような気がしてしまう。わたしは診察台に上がることを、屈辱的だとか恥ずかしいとか、そういうふうには思いたくないと思う。わたしたちに屈辱とか恥とか思わすなんて、陰謀にちがいないと疑ってしまうからだ。ただ、自分にも見えない暗がりを覗いて、あれこれいう人を眺めていると、奇々怪々、と思うのだ。

その暗がりが自分にもよく見える鏡ができたら、新しい言葉が生まれるだろうか？　そんなことにもならないのだろう。目を木版にこすりつけるようにして版画を彫った棟方志功さんの真似をしても、きっとだめだろう。

さて、台によじのぼって待ちくたびれては、色々なテストを受けた。子宮の内膜をちょいとけずりとって調べたり、排卵後の性交後の粘液をとって、それが精子に対して敵対的な性格のものでないかを調べたりするのもあった。

敵対的だったら、どうするのだろう？

こいつ、反抗的な、といって懲しめてやるのか？

それとも、薬をのんだりして、懐柔して欺してしまうのか？

「精子に対し、敵対的性向ありと判定」なんてことになったら、新聞の見出しみたい。

その判定に不服なら、上告できるのかしら？

膣壁に小さな穴（小さいものですよ、と若い医師はいったが、穴を開けられるほうにしてみれば、穴は穴である。第一、どのくらい小さいのか、わかりゃしない）を開けてそこから鏡を入れて、子宮の外側およびその周辺をつぶさに観察するテストもあった。それはカルドスコピー（culdoscopy）と呼ばれる。この鏡を入れて覗くと、開腹しなくても様子がわかるわけで、これによって癒着や子宮内膜症と呼ばれる障害を発見することができる。卵巣や卵管の様子もある程度わかる。

検査の最中は局部麻酔をしてあるから痛くはない。局部麻酔をするまえには、強力な鎮静剤あるいは予備麻酔のようなものを注射するから、すぐフラフラになってしまう。検査が終ると麻酔が切れてきて、鏡が侵入してあちこち突つきまわしたからだろう、それに穴も開けられたからだろう、しばらく下腹痛が続く。痛いといってあばれれば、回復用の高い寝台から落ちるから、寝台に柵がなければ、誰かが見張っていることになる。見張っててくれる人がいない人は落ちるのだろう。げんに落ちた女たちがいるからこそ、看護婦たちがつき添ってきてる配偶者たちに、「見てなさいよ、落ちますからね」とうるさくいうのだろう。

基礎体温もまじめにつけた。グラフ用紙の上にまるで基礎体温のありかたの手本のようにみごとなギザギザの山形があらわれて、きわめて規則的に排卵が起こっている、といわれた。

じゃ、問題はなんです？　ホルモンの働きや子宮内膜の細胞組織も正常だとおっしゃるなら。

問題はですね、カルドスコピーにより明らかとなりました。子宮内膜症がありますな。どうも、これが妊娠をさまたげる原因になっていると思われますな。あなたは月経のはじまる少しまえに下腹痛があるといいましたね？

少しまえ、というより、その日の朝に痛くてうめくのです。歯を磨いていると、痛みがそろりそろりと近づいてくるのがわかるのです。あっ、やってくるな、早く歯を磨いてしまわないとひどいことになると思うわけです。そう思ってるうちに、どんどん痛みがましてきて、そのために吐気もするほど。大急ぎでアスピリンを嚙み砕いてぬるま湯で呑みくだします。アスピリンを粒のまま冷たい水で呑むような悠長なことでは、痛いとうめきつつ転げまわる時間が長引くばかりですから。

どうも、そのように激しい痛みは、やはり子宮内膜症のせいのように思われますな。そして、これが妊娠の邪魔をしているのではないかと。

子宮内膜症とはなんですか？

内膜症とは簡単にいいますれば、子宮の内壁の内膜組織の細胞が、子宮内膜以外のところへ飛び散って、それがそこで増殖してしまうことをいうのです。それが繊腫や囊腫になることもあると考えられてます。

なぜ、内膜組織細胞があちこち飛び散ったりするのですか?

よくはわからない。

なぜ、そうなると妊娠の邪魔になるのですか?

よくはわからない。

因果関係はわからない、とおっしゃるのですか?

仮説はいろいろありますが、まだよくはわからない。

わからないことばかりなのですね。

そう。ただ妊娠しないというケースと内膜症がある、というケースが統計的にある大きな一致を見せている、ということ。内膜症をなおすと、妊娠する場合が三分の一あるからね。

なおす、のはどうやるのです?

手術です。

シリツ!　シリツですか?!（とは、わたしはいわなかったけど、そのとき、突如、つげ義春の『ねじ式』の女医が、「シリツします」といったのを思い出していたのだ。）

わたしは開腹手術を受けることにした。手術のまえの日の午後に入院して、血液やレントゲン検査をやって、まだ病気でもないのに寝巻を着て寝てろといわれた。二人部屋だったので、相棒もやがて加わった。「子宮癌だとわかったので、子宮をとってしまうことになった」とわたしの相棒はいった。「あなたはなにをとるの？」

手術が行なわれた晩は、そのひとのほうが痛がっていた。わたしは痛くなると我慢しないで、「痛み止めをうってください」と要求しては、うつらうつらしていたのだ。でも、真夜中ごろ、突然、目のまえに二人の白人の大きな看護婦があらわれたときは、てっきりわたしは幻覚を見ているのだと思った。その二人の看護婦があまりにも大柄でたくましく、００７の『ロシアより愛をこめて』に出てきたのではなかったか、かの恐怖の組織スメルシュの病院に働く看護婦とはこのような女たちではないか、見ろ、ちゃんとスラブ系の顔さえしている、頬がこうなんかカッと赤くて。うつらうつらしているわたしに、この二人は起きて便所へ行く練習をする時間になった、と告げた。

なぜ、なぜ、なぜ？

あなたの早期回復のためだ。

だって、あたし、けさ大手術したばかりですよ！　傷がとても痛いんですよ！　まだ、吐き気もしてます。

（手術はあるいはけさではなかったのかもしれない。痛み止めの麻薬でうつらうつらしてるうちに、一週間もたってしまったのかしら。そんなことなら、あたし、たしかにしっかりしなくちゃいけないのだ。）

スメルシュから派遣されてきた二人の大柄なおそろしい看護婦は、起きてみろ、といってあとへは引かない。（敵の手はすでに張りめぐらされている。逃げようとしたって無駄だ。優秀な諜報員なら、こういうところで勇気を示す。だが、それにしてもあたしがおびている使命とはなんだったっけ？）

抵抗しても無益、と観念して、わたしはついに起き上り、ベッドから下りて用を足したのである。痛さはものすごかった。そのようにして、その後もせっせとリハビリを行なったのだったが、早く動かすのは癒着などを防ぐためもあるということだった。

スメルシュの女たちはあの最初の晩にやってきただけで、それからは全然姿を見せなかった。どうしたのだろう。ついに００７が始末してくれたのだろうか？

退院の日は手術から七日目ときめられていた。傷は順調に回復し、診察でも異常はないといわれた。でも、診察のとき、変に痛いなと感じた。それに熱が少しあったのだ。熱があるのはよくないから、抗生物質を呑め、と薬をくれて、でも、そのまま家へ帰された。すると、午後おそく、ひどい悪寒がして、いくら毛布をかけてもおさまらない。とても高い熱が出て、それから翌朝まで、ぶるぶると震えるのと、かっかっと熱くなるのとを繰り返していた。

手術のあとでなにかの菌に感染して炎症を起こした、ということだった。熱が高い、と医者に連絡すると、急患としてもう一度入院しろ、といわれた。至急だ、と。毛布にくるまって病院にもどると、早速点滴がはじまって、点滴の中に大量の抗生物質が投入され、わたしは上半身を少し起こしておく恰好で寝かされていた。最初に使った抗生物質にアレルギー反応を示したから、薬を変えたが、それも駄目で、三つめのでようやくいいことになった。

そのとき、わたしはなにも考えていなかった。その感染による炎症がどのような意味をもつのか、考えてみなかった。ただ熱に顔を赤くしたり青くしたりしていただけだ。

一週間いて退院するときに、医者もなにもいわなかった。

それほどの高熱が出るような感染なら、それがどのような結果をあとに残すことになるのか、ひと言だっていわなかった。

ただ、わたしはこの手術のおかげできっと妊娠する、とは感じてはいなかったようにも思う。合計二週間の入院のあと、家へもどっても、とても疲れた気持ばかりした。

夏だというのに、サン・フランシスコはとても寒くて、夫と一緒に散歩をするわたしは冬のコートを着ていた。

「あっ、ごらん」とあたしは思わず声を上げた。ヨセフ・モリスの家の居間のガラス戸の外、雪が落ちてくるのだった。「雪になってしまった」

幼い娘たちがガラス戸に駆け寄って、鼻を押しつけて雪を見る。

エルサレムの雪。

砂漠の国に降る雪。

「娘は学校で、おまえのとうさんはクロンボだ、といわれてさ。あるとき、学校から帰ってきても僕に口をきかない、どうした、といっても答えない、ってことがあった。それがなん日も続いてさ。うるさく訊いて、ようやくわかったのが、学校でおまえのとうさんはクロンボだ、といわれたことだった。そこで僕と妻は、黒いのはいいんだ、おとうさんはとてもハンサムだ、と娘にいった。それでようやく、娘がまた僕に口をきくようになった」とヨセフが話している。

どこかの隙間からこの家に雪が降りこんでくるのではないかしら、とわたしは見まわしたが、そのような気配はない。

階段で接続している下の谷間のような台所から、ブレンダがなにか湯気の立つ物をさ さげもつようにして上がってきた。

焼きたてのパウンド・ケーキ！

そして、トルコ・コーヒー！

わたしはもう寒くなんかない。

ケーキを食べて、コーヒーを呑みながら、わたしたちはブレンダのおなかが膨らんでいることについて話した。
「お嬢さんが二人だから、こんどは男の子がほしいの？」
「健康な子供ならどっちでもいいの。なるべくあたしみたいじゃなくて、インド人ふうな子供ならなおいい」

わたしは、子供をうもう、ときめたあとで、不思議な経験をした。妊娠しているわけでもないのに、すでに、自分がうもうときめたその子供をいとおしく思いはじめたことだ。それは想像の中にすら存在もしない、生物的な実体は顕微鏡的にだって存在しない相手を対象にしていた。そのいとおしさは、いたいけな赤ん坊がかわいい、というような感情ではなくて、奇妙にも、なぜかすでに全人格のそなわった存在を対象にしているようだった。対象は具象的な存在でもないし、まるっきり抽象的なものでもない。ちょうどその中間にあるようなものだ。それはうむという決意をいとおしく思うということではなかったし、妊娠という肉体の変化が契機になって触発される感動でもなかったわけだし、どういうことなのかはうまくいえない。わたしはそれに関連した夢をしばしば見るようになった。

ただ、そのとき、じぶんの中で、ある部分がひろびろとしてゆくのを感じていた、というふうにしかいえないのだ。
森崎さんには、若くして亡くなった彼女のお母さんについて触れている文章がいくつかあるが、わたしはつぎの部分にとりわけ心を惹かれた——。

……私がちょうど現在の長女の年に母を亡くした。死にゆく母の枕辺にいて、私はなにをどうしようもなく切なかった。母は昏睡にはいる前に家族のものに礼をいった。私はすすり泣いて母からはげまされたが、その魂がゆらゆらと薄明にあそんでいると思われるころ、われ知らず子守唄を歌っていた。ぽたぽたと涙をたらしながら母の髪をなでていた。
あのとき、私には自分のなかに母がよみがえっているような奇妙な感じがしていた。また、その母のなかに母を育んだ祖母がよみがえっているのを感じもした。祖母の母さえ感じられた。私のこころはふかいあきらめにおおわれながら落ちついていたのである。(「こころざし高くこの世を愛して」)

スタンフォード大学病院での子宮内膜症の手術は一九七四年六月だった。その年、わたしたちは東京にもどった。七五年の六月頃、わたしはスタンフォード病院の主治医から名前をきいて、ふたたび専門医のところに通うことにした。東邦医大の産婦人科へ行ってみなさい、といわれた。あとで発見したのだったが、東邦医大は日本不妊学会そのものを発足させた学校だそうで、その分野ではそれこそ草分けと呼ばれているらしい。

わたしは東邦医大へでかけて行った。行く日は一日がかりのつもりで行く。実際には午後二時頃には家へ帰ってくるのだが、へとへとになっていて、もうこれで一日も終りだ、と思ってしまうからだ。

ここでもやっぱり長いこと待つ。不妊に悩んでいる女のひとたちと、おなかがすっかり膨らんでいる女のひとたちが肩を並べて、じっとあまり声も出さずに待っている。ここでは、全部脱いでシーツを掛けて待ちなさい、とはいわれない。やっとじぶんの順番がきて、診察室に呼び入れられたら、大急ぎで診察してもらうところだけ脱ぐ。ぐずぐずしてるとおこられる。診察室は個室ではなくて、ちょうど廏(うまや)のような構造になっている。廏なら仕切りは木の板だろうが、ここではカーテンだ。だから、患者や医師の会話は全部細大もらさず完全にそこに居あわせる全員に聞こえる。

それから、あれはどういうわけだろう。診察台のちょうど中央あたりに、天井から吊ったカーテンが下りていて、診察を受けるわたしたちは上半身をカーテンのこちら側に置き、下半身をカーテンのあちら側に置くのだ。下半身を見せる恥ずかしさに顔を赤らめている女性の顔を医師が見ないでおいてくれる、という親切心のあらわれとして受けとるべきなのだろうか。「恥ずかしい」だろうと推量して、このみじめなカーテンがそれを柔げてくれると独断するのは誰？

　わたしたちは文字どおり、上と下に引き裂かれ、すっかり混乱してしまう。なにをもって、この汚らしい布切れで切り裂かれた存在を再統合したらいいのか。

　ときには、そうやって切り離された下半身に向って、担当医師が、「コレ、ダレ？」といったりする。「コレ、ダレ」といわれたら患者は夢中で「ダレダレデス」と答えてしまう。だって、もし間違えられたらどうする？　わたしの下半身がべつの女性のものと間違えられて、そのべつの女性の下半身にほどこされるべき治療なり処置なりが、わたしの下半身にほどこされれば、困るではないか。あるいは、あたしの下半身に対してなされるべきはずのことが、どこかよそへ行ってしまったら？

「コレ、ダレ？」と問われて、女たちはじぶんの下半身に必死にしがみつくように、「ダレダレデス」と反射的に答えるのだ。やっとつなぎ合わせたジグソウ・パズルの一かけらを無礼な闖入者（ちんにゅうしゃ）の手ではじき飛ばされたりするのを怖れるかのように——。

　しかし、それにしても天井からぶら下ってわたしたちを上下に二分する布切れはなにを意味するのか。あちら側の視線にとっては、わたしたちはわたしたちなんかではない。ごろんと転がった下半身の一群である。力ずくで開いて金属を入れて調べるべき肉塊の一群である。汚物盆の野に咲く花々の一群。あるいはキノコの一群？

　カーテンのこちら側からいえば、あちら側は恐怖の荒野だ。なにされるかわからない、という不信はひとときも頭を離れない。あいつらは顔のない、ゴム手袋をはめた手だ。あいつら、みずからすすんで顔をすてたのだ。カーテンをぶら下げてくれとたのんだのはわたしではないから。

カーテン越しに診察するあいつらの声がなにかいってる。通水の水が通ったとか通らないとか。近くて遠い痛みにあたしたちが唇をかんだって、うなったって、ゴム手袋と化したあいつらには聞こえない。ゴム手袋には耳なんかないのだから。

あたしたちはあちら側の荒野から、転がされて、「ダレノモノカワカラナイ」と呼ばれた下半身を重いこころで回収して、家へもって帰ってやる。こたつに入って暖めてやる。夏だって、そうしてやりたくなる。

東邦医大の病院でも、結局その前の年にスタンフォードでやったのと同じ検査を全部やりなおした。一年も前のデータでは古い、と。スタンフォードでやられなくて、東邦医大でやったのはレントゲン検査だった。主治医がヨーロッパにでかけていたので、べつの医師に担当がかわったが、その医師がレントゲン検査はぜひとも必要だといった。しかたがないのでその通りにしたのだが、それによると「正常ですな」ということだった。卵管も癒着してない「ようだし」、あとは「ホルモンの投薬」だ、と。ところが、そうこうしているうちにヨーロッパから帰国した主治医は、カルドスコピーをやってみなければわかりません、カルドスコピーが絶対に必要だといった。レントゲン透視じゃ大したことはわからない、と。

雪は大雪になってしまった。こんな雪の中をあんなガタガタのフォルクスワーゲンで帰れるかしら。

美しい娘たちはいま唄を歌っている。ブレンダとヨセフが、紀元七〇年のエルサレムの第二神殿の破壊の時代にパレスチナからペルシア湾を経てインドへ向い、そこに定住するようになったユダヤ人の話をしている。その子孫である「イスラエルの子ら」と呼ばれる集団のことを話している。ブレンダが大学院の文化人類学の学生として研究したことをきいてはじめて、ヨセフはじぶんの歴史を知るようになった、と話している。

石の都のエルサレムが雪の中に沈みはじめる。もう日暮れもまぢか。

その二度目のカルドスコピーは奇異な経験だった。いよいよ検査台にのぼると、からだをVの字にさせられる。Vの字を逆さにして片方の端が頭部で、もう片方が折った膝である。肩で上半身の体重を支えることになるから、検査後数日間は肩や胸に筋肉痛が残る。それについてはこれ以上いわないにしても、麻酔のことはいっておこう。

検査中、被検査人は完全に意識を失っていたわけではないらしい。予備麻酔と本麻酔がうたれ、からだをVの字に曲げたら、もうなにもかも遠のいてしまった。麻酔がかかると、じぶんだって、じぶんの人生だって遠のいてしまう。遠のいたな、と思ったら、どうしたことか、バッハのオルガン音楽がまるで爆音のようなボリュームで聴こえてきたのである。おやっ、とわたしは麻痺して鈍くなった知性で思った。これはおかしい。わたしは病院の産婦人科の検査室に麻酔をかけられてVの字形になっているのであって、新宿の「田園」にいるんじゃないんだ。よって、バッハは幻聴である。だいいち、わたしには麻酔がかかっているのだから、こうして状況を判断しようともがいていることこそおかしい。考えてるわけじゃなくて、これも濁ってしまった意識が愚かなあぶくをブクブクさせているだけだ。しかし、こう思うもうひとりのわたしは、じゃあ、どこにいるわけ?

と、にわかに、わたしの網膜に極彩色の立体映画が映った! ちょうど、スタンリー・キューブリックの「紀元二〇〇一年」の終り近く、主人公が宇宙に放り出されたあとの場面にそっくり。

目がまわるよ、とわたしは声も出せないまま叫んだ。つぎの瞬間、ものすごい奈落への落下がはじまった。ほんとにおそろしい。鮮やかな色とりどりの周囲が回転してる。そして——、だれかがあたしのからだの内部をぐいぐいと引っ張ってる。あたしの中身を一気に抜き取ろうとするかのように。

そのあいだも、バッハは大音響で鳴り続け、あたしはもうこれで気が狂うんだ、と思った。だまされたのだ、検査をしてやるなんていう甘言にみすみす乗せられたあたしが馬鹿だった。だまされたんだ、罠だったんだ。でも、もうおそい。もう、二度とふたたびあたしはあたしにもどれない。

　ほら、また落ちる。

　さようなら、あたし。

　こんなに独りぼっちで——。

　おそろしい空間に投げ出されたり、落ちたり、息を止められたりするのが永遠の長さで続く。と、人間の声みたいなのが聞こえる。わたしが薄目を開けると、そこには白い色があって、それはなんだろうかとじっと考えこんでいたら、やがて、それは医師の白衣の色だとわかった。

　では、あたしはやはり検査室にいたわけ？

　麻酔が覚めてゆくその境界の時間もおそろしい。どうしても息ができなくて苦しくて、こんな陰謀によって変えられたあたしは、やはりもうもとのあたしにはもどれないんだ、という意識の混乱が続く。

　どうにか正気にもどったら、ベッドのかたわらにいた夫が、「そろそろ、羽田へブローティガンを迎えにいく時間だね」といった。ブローティガン？　そう、彼が着くことになっていたんだったね。あたしは迎えにいけません、すみません、と手紙を書いて夫に渡してあったのだった。

　窓が燃えてる。

　夕日で燃えてる。

　担当麻酔医がやってきて、「どうです、覚めましたかな」とたずねる。どうです、だって？　わたしはひどいめに会ったといった。

「あれえ、まえもって、この麻酔の特長を聞かされてなかったの？」

　いいえ。わたしは罠にかかったと思いました。検査とはまっかな嘘で、まんまと欺されたのだと。

「この麻酔はすぐれた麻酔でね。覚めるのも早いし、軽くかかるだけだし、覚めたあとに頭痛や吐気がない、すばらしい新しいタイプなのですよ。ただ、幻覚があるのが玉に瑕。ふつう、まえもって患者に予告しておくんだがね」

「で、音楽が聞こえるのも、バッハが鳴り響くのも幻聴ですか？」

「いや、いや。検査室にちゃんとスピーカーを備えて、音楽を流してます」

　なぜか、とわたしはたずねたが、理由が思い出せない。要点は、その麻酔と音楽を併用するとよい、ということであった。

　バッハが轟くように鳴りわたり、患者は「紀元二〇〇一年」の旅に出てしまう。それは感覚の拷問時間だ。麻薬の手加減をふと間違えてしまったジャンキーの地獄はこんなものだろうか?

吐気と頭痛が最小ですみ、覚めるのも早いとは、ほんとに結構である。でも、麻酔医たちがじぶんのからだを使って一度でも実験してみたら、それでもなお「すばらしい新しいタイプ」だなんて主張できるだろうか?

カルドスコピーの結果、卵巣や卵管のあたりにひどい癒着があることがわかった、と医師はわたしに告げた。子宮の外壁には子宮内膜症は残っていなかったかと質問したら、きれいになっている、という答だった。だが、この癒着を治療しなければ、妊娠はとうてい無理だと。ふたたび開腹手術をしなければ、可能性はない、と。そのときわたしは、レントゲン検査のあと、「正常ですな」、卵管もだいじょぶの「ようだ」といった助教授のことばを思い出していた。あとはホルモンの投薬をやればいい、といった医師の言葉だ。レントゲン透視で判明することなんて、実際はずいぶん限定されているわけじゃないか。その点すら明確にしないで、「正常のようだ」とか「あとはホルモンの投薬」だけだとか、それは無責任というものじゃないのか?　わたしの場合主治医がカルドスコピーをやってみなければわからない、と主張したから、カルドスコピーでべつの事実が明らかにされたわけだから、さいわいだった。しかし、そのレントゲン透視を全能だと信仰している医師を主治医にしている女たちは、結局不妊の原因がじゅうぶんに明らかにされないまま、ホルモンを呑まされているわけだろうか。あたしは腹立たしかった。

病院に通っているうちに顔見知りになった女たちのうちのなんにんかは、ホルモンを呑み、うっすらとした吐気をこらえながら、毎朝空しく仁丹婦人用基礎体温計を口にくわえているのだと。長いことじっと堅いベンチに黙ってすわり、それから天井から下ったカーテンに下半身を切断させてあちら側に渡し、つつきまわされたって歯をくいしばって「痛い」ともいわないで、やがて重い気持を京浜東北線や目蒲線に乗せて帰ってゆく女たちは、まるっきり無駄骨折りをしていることもあるわけなのだと。

もう一度手術をするのはいやだ、とまずわたしは思った。でも気を鎮めて考えて、もう一度やる、ときめた。さいごまでちゃんとしなくてはいけないのだ、とちゅうで逃げてはいけないのだと思った。それにしてもなぜそのような癒着が起こったのかとたずねたら、おそらく前回の手術のときのあの感染で目茶苦茶になってしまったのだろう、ということだった。ということは、前回の手術のそのあとすぐ、すでに新しい障害が生まれていたわけで、なんということはない、わたしだって空しく仁丹体温計を口にくわえ続けてきたわけだった。高熱にうなるほどの感染の炎症を起こせばどのようなマイナスになるのか、スタンフォードの医師たちは警告してはくれなかった。それとも、癒着なんて予想もつかないことだったろうか。まさか、とわたしは思ってしまう。退院のとき、「さあ、頑張りなさいよ」なんていってた。白々しいではないか。それと感染症は防止できなかったものだろうか？　不可抗力のものだったのだろうか？　それとも、どこかでだれかがなにかを軽く見たから起こったものだったのか。

　東邦医大での二度目の手術のあとは、点滴にステロイド・ホルモンを入れて癒着を防ごうとしてくれたし、体温も注意して見ててくれた。回復の早いひとだといわれて、十一日目に退院した。

　入院中は部屋仲間が五人もいた。仲間の大部分は早産になりそうになって駆けこんできて、早産を防ぐために子宮の口をしばって（！）もらって安静中だというケースだった。手術の前日入院の手続きをして部屋に連れていかれたが、大部屋に入るときは一種暗黙の「入会式」があることに気づいた。小さなスーツケースなどをさげて、緊張にこわばって部屋へ入ったとたん、十個の目が迎える。「このひとはどのような理由できたのか？」と詮索している。「なんできたの？」とただちにあけすけにきいたりするわけじゃない。みんなやさしい。でも、なぜその部屋にかりそめの仲間として入ってくることになったのか、そのわけもわからずにただやさしくしてるわけにはゆかないらしくて、窓側のベッドや向い側の隅っこのベッドからポツリポツリと質問がくる。「あたしはね……」といって、それから質問する。答えない、という理由もないし、答えたくないと拒否する方法もわからないままに少しずつ質疑応答が進行して、一時間もたったら、わたしのそれまでの人生が白日のもとにさらされていたというわけである。早産防止のために、子宮口を「しばられて」いるひとたちは、安静にしていろ、ときつくいわれているから、その部屋は熟成をまつ甘い葡萄酒の樽たちがじっと夢を見ている場所みたいだった。

二度目の手術は六月で、八月にはわたしたちはイスラエルへ発った。そのとき、わたしは治療なり処置なりを続けることになると思ったので、病院から紹介状とそれまでの経過を書いてもらったものを旅行の荷物の中につめた。さまざまな理由から、結局はイスラエルでは専門医を訪ねることはなかったので、それを注意して読んでみることもなかった。どうせ、わたしの知っていることしか書いてない、と思ったから。

ところが、である。ニューヨークに着いて聖ヴィンセント病院に行き、つぎにくるときに東京の病院からの手紙をもってきなさい、といわれたとき、いちおう目を通そうと思って読んでみたところ、それはわたしのカルテから写されたものとはまるで思えないものだった。

二度目の手術では、カルドスコピーによる検査でわかったとおり、やはりあちこちに癒着があったので、それを剝離した。と同時に、一度目の手術のあとに飛火するようにしてあちこちへ移った内膜症が、左側の卵巣に「チョコレート状嚢腫」をつくっていて、それでその卵巣はもう機能していないと診断されて摘出ときまった。左側の卵管もその卵巣にひどいありさまで癒着していたので、それも摘出した。ということは、わたしは手術後、マイナス左側の卵巣および卵管、となった、ということである。

病院からもらった「病歴書」には、わたしの下腹部にはまだ右も左も卵巣、卵管が残されていることになっている。ちゃんと図解してあって、両方描きこんである！　卵管についてはごていねいに、potency good、すなわち卵管が果すべき機能の可能性は良好、と記してある。わたしは唖然とした。摘出されたものがその図には復活していて、しかも機能力良好、とはどういうことか、と。怪談だ。あたしの卵巣がついに化けて出たのね。天国へも地獄へも行けなくて。癒着の部分も図に示されていた。ところがそれが剝離された、とは記録されていない。

これを書いてくれたのはエライほうの先生だった。紹介して上げますから、といったので、わたしは紹介状を依頼した。ところで、手術のあと、手術の内容や経過について詳しく話してくれたのはもう一人べつの医師だった。黒沢忠彦医師で、わたしは彼には信頼をよせている。黒沢医師が左側の卵巣と卵管を摘出したこと、癒着を剝離したことについて説明してくれた。英語で報告書を作ったけれど、この英語はどうか見てほしい、と夫が相談されて、わたしたち三人はベッドのところで頭を三つ寄せて一緒にその報告書を眺めたのだった。

推察するに、紹介状用の報告書を作ってくれたとき、なぜか手術まえまでの病歴しか写し取らなかったということではないか。忙しすぎて治療経過の最後の部分をつい落としてしまった、ということかもしれない。でも、そんなことがあってもいいのだろうか？　うっかりしてたら、わたしはすでにありもしないモノをあるとする記録を提出してしまうところだった。だから、カーテンの向う側にとっては、わたしたちはやはりゴロゴロ群がる肉塊としての下半身にすぎないのではないかと思ってしまうのだ。あちら側では、「忙しくてつい」ということも許されるのかもしれない。でも、こちら側は？　わたしたちは「つい」女になってしまった、とはいえないのだ。

迷路のよう。

下腹痛がやはりその月も妊娠せずつぎの月経が接近していることを予兆すると、わたしはじぶんの身の丈よりも高い葦草の群落に踏みこみ迷ってしまったような気持になる。子供をうまなくたって全然かまわないと思うし、それでイッカンの終りだなどとは微塵も考えてない。それでも混乱する。この六年間が、全体として迷路の体験のように思えてしまう。ずっと若いころに妊娠して、そのときはうむことなどはまったく考えてみもしないで中絶手術を受けた。中絶手術が子宮内膜症の原因になるのではないかという学説もあるという。でも、絶対的に明らかにされていることなどありはしない。だから、「因果応報、思い知ったか」てな具合にうなだれてしまうわけにもいかない。とはいうものの、わたしはオリアナ・ファラッチの『生まれることのなかった子供への手紙』という作品を読んでいて、突然あることを思い出してしまったのだ。その作品のつぎのようなくだりを読んだときのことだった——。

厳粛と陽気のあいだで揺れているような口調で、彼は一枚の紙片を取り上げ、つぎのようにいった。「おめでとう、奥さん（マダム）」わたしは機械的にそれを訂正した、「ミスです」と。それはまるで、わたしが彼に平手打ちをくらわしたかのごとくだった。厳粛と陽気は消えてしまい、計算された無関心をもってわたしを見据えるようにして、彼は答えた、「ほう！」それからペンを取って、「ミセス」を消して、「ミス」と書いた。こんなふうにして、科学は、冷たい白い部屋で、冷たく白衣を着けた一人の男を通して、おまえは存在する、と公式声明を発表したのです。わたしはそれを聞いて全然どうとも思わなかった。だって、わたしは科学が声明を発表する以前に、そのことはすでに知っていたのですもの。でも、わたしが結婚していない事実が強調されて、一片の紙片の上で訂正されなければならないことには驚いてしまった。それは一つの警告、将来の問題をピシリと指し示しているようだった。そのあと「科学」がわたしに服を脱いで診察台に横になれと指示した調子さえ、ていねいとはとてもいえないものだった。医師も看護婦も、あたかもとてもいやなものをあつかうように振舞ったのだ。

わたしが突然思い出したのは、中絶手術のために出かけて行った診察室のことだった。

「あなた元気そうだから、うみなさいよ」とその老医師はいった。彼は第二次大戦中、「産めよ、殖やせよ」の国策に抵抗して、「うみたくないのなら、うんではいけない」と主張して堕胎手術を行ない投獄された医師だった。わたしはそのことを人伝(ひとづて)に聞いて知っていた。

その彼が、「あなた元気そうだからうみなさいよ」といったとき、わたしは一瞬じぶんをものすごく誇らしく感じたのだ。ファラッチの小説を読んでいて、長いことついに一度も思い起こすことのなかったその瞬間のことをふいに思い出したのである。

「元気そうだから、うみなさい」という言葉に躍りあがるような誇りを感じたわたしは、つぎの瞬間、それを足で踏みつぶした。誇らしく感じたことさえ意識してはいなかった。ただある感情の手触りを記憶していただけで、それはいまになって思うと、誇りのようなものだった、といえるのだ。躍りあがってる余裕なんかないのだ、ということだったかもしれない。足で踏みつぶして、泥の中に深く深く埋めてしまった。そして、そのことはそれっきり忘れてしまった。こんなに長い時間が流れて、ある日、ファラッチを読むまでは。ファラッチを読んでいて、その記憶がなんのまえぶれもなくふいにわたしの目のまえにあらわれたとき、わたしはその記憶の鮮やかさに衝撃を受けた。ふいに、鮮明に、もう一度その瞬間を体験するような感じだった。

こんなに長い時間がたって、ようやくわたしはわたしの足で踏みつぶして泥の中に埋めておいたわたしのこころの躍動と顔をつきあわせている。こんなに長い時間がたって、はじめてそれができるようになった。
「うむ」ときめたものの、妊娠という状態の束縛に動揺したりいきどおったりしているファラッチの主人公は、結局胎児を失う。胎内で死んでしまうのだ。胎児は死んでしまったあとも、ずっと出てこない。主人公もじぶんのからだからそれを失うことを怖れている。けれどもやがて胎児が取り出される日が訪れる。わかれの日である。

ああ、なんという痛み！　とつぜん、わたしは気分が悪くなってしまった。いったい、どうしたわけ？　またしても、ナイフで刺すような痛みが。まえとおなじように、痛みはわたしの脳に走り、突き刺さる。わたしは汗をかいてる。熱があるみたい。とうとう、その時がきたのよ、おまえ。わたしたち二人を引き離す時が。でも、わたしはいやなの。連中がおまえをスプーンでひきはがすなんていや。汚れた脱脂綿やガーゼと一緒におまえを塵芥の中に捨てるなんていや。それはいや。でも、あたしにはほかにどうしようもない。

病院の人々はそのあたしに取り出した胎児を見せたくはないといったが、主人公はどうしても見せてほしいという。彼女のまえに置かれた胎児は、彼女が壁に貼って見ていた雑誌のグラビヤ写真の胎児の姿よりもずっと小さく不明瞭な存在である。おまえは、あたしの空想の生きものにすぎなかった、と彼女はいう。あたしの愛したのは、ただのちいさなこんな魚のようなおまえだったのか、と。だが、そのちいさな魚のような不明瞭な存在の死が彼女のからだを毒している。彼女は死にかけているらしいのだ。彼女はまず、裏切られたような気がして腹を立てている。だが、さいごには、それもほんとうはどうでもいいのだ、と感じる。不明瞭な魚のような死んだ胎児に命を奪われることさえ、大きな約束と大きな裏切りの同時的な成就であるかのごとく。

そして、わたしも、これほど長いことどこかに押しこめられていたあの一瞬との出会いは、後悔であるよりも、大きな約束の、裏返しにされた成就であるように感じてしまう。そのこととなめらかに折り合いをつけることはできないかもしれないが、ようやく自分が女であることと向きあえるような感じ、ようやくこのあたりがひろびろとしてきそうな——。

ヨセフの美しい娘たちがまた声を上げて笑っている。黒豹の子供の眼をした下の娘がわたしを睨みつけている。ヨセフが家を案内してくれる。四年まえに建てはじめてまだ全然完成していない、あとまだずいぶんかかりそうだな、といって案内してくれる。すっかり立派にでき上がっているのは洗面所だけ。ヨセフは自分の家を縦と横の両方向において増やしたり、けずったり、出っ張らしたりしている。インドとも切り離され、イスラエルの主流の思考からも疎外されているヨセフの世界は未完のそれだ。いまはヘブライ大学の夜警をやって、これからのことをよく考えたいんだというヨセフだって約束と裏切りの地平に放り出されているが、おそれてはいない。

イスラエル・スケッチ II

影の住む部屋

砂漠の教室を卒業して、わたしたちはハイファに住むようになった。アパートを借りたのだ。砂漠の教室が終了する一ヵ月前に借りた。そして、週末はそこで暮すようにしていた。小さな箱のようなホテルの部屋にいてもつまらないし、週末ごとにあちこち旅行するのもたいへんだし、なんとか静かにいられるところをもとうということで、友人の世話で借りたアパートだった。

それはいわくのあるアパートだった。離婚した女性の精神医が持主だったのだが、彼女は離婚してから精神病になって、それがとても重症でついに四年も病院を出たり入ったりする生活を続けた。当時はもう退院してテルアヴィヴの診療所の精神科の主任になっていた。けれども、彼女はこのアパートにもどってくることを極度におそれていたので、アパートは四年余りも放ったらかしになっていた。アパートといっても、四戸しかない建物で、一階に二戸、二階に二戸というふうになっていた。わたしたちが借りたのは一階で、広い庭があり、まるで一戸建ての家のような感じだった。

一階であったから、四年もそのままになっていたそのアパートには、野鼠(のねずみ)が入りこんだ。きょうから暮そう、と行ってみたはいいが、台所の抽出しという抽出し、戸棚という戸棚に鼠のフンがまるであふれるがごとくあって、度肝をぬかれ、落胆し、情けなくなった。もう空気も冷たくなっていた十二月の末、わたしは鼻水をすすりつつ、二日がかりでフン退治をしたのだった。気持が悪くなって、しばらくは食事もまずかった。

　家具も食器類もシーツもタオルも使ってよろしい、といわれた。ありがたいことだったがシーツもタオルも四年のあいだに四度訪れた雨期の湿気を吸ったまま、すっかり黴（かび）くさくなってしまっていた。そこで、二日がかりでシーツとかタオルとかナプキンとか布巾とか洗濯機八杯分全部洗った。洗濯機がよく脱水しないので、ビチャビチャの洗濯物を乾しに行くと、外では冷たい風が吹いて、手がかじかんだ。

　戸棚の中に発生した黴は拭いても拭いてもにおいがとれない。いい匂いが出る樟脳（しょうのう）のようなものを買ってきてあちこちに置いてみたが、こんどはその匂いと黴のにおいが混ざってなお変になった。

　でも、このようなことはどうということもない。アパートのことでなれるまで一番時間がかかったのは子供部屋のことだった。

　家主のマリアナには一三歳になる娘が一人いた。書斎の本棚に、その娘が海浜に立っていて、逆光の太陽で姿がシルエットになっている美しい写真があった。水がキラキラ光っていて、髪の毛の長い、あまいにおいのしそうな肢体の子供の写真だ。

マリアナはこの娘の持物を全部保存していた。おしめまではないが、ゴムの乳首がとってあったり、赤ん坊の服や靴がとってあったり。引越した日、陽ざしの明るいこの子供部屋に入って、その少女の九年間の歴史がそこにそのまま置き去りにされているのを見たわけだった。少女は母親の発病いらい、キブツに引き取られて暮している。

四年前のある日、母親の急な入院が決まって、身のまわりの物だけを小さなスーツケースに詰めてこの家を出て行った少女は、それから一度もこの部屋を訪れていない。わたしたちが引越したとき、その部屋は四年前の、少女のその出立の日のままの姿をしていたのだった。

その部屋に入ってカーテンの紐を引くたびに、たくさん並んだぬいぐるみの動物たちと目が合ってしまう。子供用の小さな椅子に腰かけて本を読んでいた少女のことを考えてしまう。ハンガーにかけられたギンガムのドレスが包んでいたあたたかなからだのことを思ってしまう。それら一切と別れてキブツの子供になった少女のこと、とても美しいすらりとした娘に成長しているという少女のこと。

わたしはその部屋に踏みこむたびに、会ったこともない少女のもっとも私的な領域をおかしているという気持がしてしまうのだった。たしかにいまは脱殻となった領域ではあるが、まったくよその見知らぬわたしの目にさらされていることが気の毒だった。少女が残して行ったある物たちが、その少女について少しだけなにかを語るような気のする日もあったけれど、たいがいは、やはりなにもわからない、と思った。壁の釘にかけられたビーズの首飾りをじっと見つめていたりすると、そのことでこの部屋から呪われるんじゃないか、とふとこわくなってしまうのだった。

そう、この陽ざしの明るい、九歳の少女で停止してしまった部屋に関心を寄せることじたい、よくないおそろしいことのように思われるのだった。だから、このサンルームの子供部屋は陽ざしの暖かさと明るさにもかかわらず、わたしには鬼門のような気がして、そこへ行くと緊張してしまうのだった。

家の中の脆い瀬戸物や家具はこの部屋に入れることになっていたので、わたしはここを少し片付けなければならなかったが、そうすると見えない少女がさらにかき消されるようで、それもいやだった。冬がすぎて、気の狂ったように花の咲く春がくると、少女の部屋の窓の下には、うす桃色の野生のシクラメンばかりが咲いた。シクラメンの時期がすぎて、わけのわからないパンジーのような強い黄色の花が庭一面に咲くころ、わたしはこの部屋にも受けいれられたと感じはじめたのだが、そうすると、少女の影はもうすっかりいないようで、ふとさびしい気持がするのだった。

悪夢のシュニツェル

　砂漠の教室でたえず食べさせられたものの筆頭は、なんといっても、七面鳥の胸肉を仔牛の切身のごとくにそぎ切りにしたものを材料にして作ったシュニツェルだ。ウィーン風シュニツェルならぬ、イスラエル風シュニツェルで、あれいらい、シュニツェルの「シュ」という音を聞いただけで気分が悪くなるのだ。なぜといって、そこで食べさせられたシュニツェルのころもがものすごく油っこくて、その油が古い機械油かと思うような代物だったからだ。

　わたしたちはシュニツェルのころもをはがして、裸になった七面鳥の白い肉を食べたものだ。

　朝食はキブツの朝食の伝統の流れをくむタイプで、太い千切りや大きな賽の目や厚い輪切りに切った生野菜がやたらに出る。蕪なんか短冊に切って、バリバリ食べてしまう。固い固いゆで卵とボールに山盛りのサワークリーム。というと、いかにも健康そうな食事。そう、健康ではあるかもしれないが、毎朝馬のように生人参を食べているうちにあきてしまう。でも、それはそれでいい。

問題はシュニツェルだ。いや、シュニツェルに象徴されている精神だ。シュニツェルとはそもそも東ヨーロッパからきたユダヤ人が持ってきたものだ。ウィーン風シュニツェル、という。ウィーンは正確には西ヨーロッパではなく東ヨーロッパだ。移民してきた人々は家財道具を全部もってきた場合もあるが、避難民としてやってきた人々はそれこそ着のみ着のまま命からがらやってきた。だが、無形文化としての食生活は彼らのあとを追ってやはりイスラエルにやってきたのだ。

砂漠の教室の生徒たちは、

「これがイスラエルの料理というものであろうか？」

と絶望に沈んだ声でいったものだ。

ちがう、あのシュニツェルはシュテテルの、ゲットーの無形文化なのだ。

イスラエルの料理、とは中近東の料理であろう、とわたしは期待していた。長い伝統に輝やく、みがきのかかった風味！　だから、五ヵ月間、砂漠の教室の食堂で東ヨーロッパの料理を食べることになったことには失望した。

シュニツェルにこだわり、シュニツェルにしがみつく気持はわからないわけではない。仔牛でなく七面鳥の肉で妥協したって、ふるさとの味だ。そう簡単にすてられるか。ただ、中近東が提供している食生活の思想の奥深さとゆたかさをじゅうぶんに取り入れていないヨーロッパ系のイスラエル人の態度そのものに、ヨーロッパにこだわり、ヨーロッパにしがみつく心情があらわれていると思う。ユダヤ主義が生まれたのも中近東だった。もともとがオリエント出身の思想である。西洋にではなく、中近東に位置しているイスラエルが敵意にみちみちているアラブ諸国との折り合いをつけるには、その事実との折り合いをつけることが緊急の宿題のように思える。イスラエルのユダヤ人の人口の過半数がすでに非ヨーロッパ系のオリエンタルと通称される人々であることを思えば、その宿題は外交問題と取り組むための手続きにとどまらず、イスラエルが内部矛盾としてかかえている問題と取り組む手続きの一部でもあるはずだ。シュニツェルをヨーロッパ系のユダヤ人から奪おうとは思わない。日本人だってインスタントみそ汁とカップヌードルと梅干を旅行鞄につめて世界のどこへでも旅行する。「江戸むらさき」まで持ち歩く連中もいる。だから、シュニツェルのことだって気持はわかる。でも、まだこの世の食生活においてシュニツェルが一番だと考えているような思想は、ひろびろと地平を広げてゆくことを知らず貧しい。とりわけ、シュニツェルの文明度と彼らが無視している中近東の食生活の文明度との差を考えれば。

と、ここまでホイホイ書いたが、よく考えてみると、あの砂漠の教室のシュニツェルについては少しおかしいところがある。あれは東ヨーロッパのゲットーのシュニツェルだ、などと勝手なことをいったが、きっとそうではない。ゲットーが崩壊してユダヤ人たちはれっきとした都市生活者になったのだった。彼らがおいしいシュニツェルの作りかたを知らなかったはずはない。砂漠の教室の食堂のコックは誰だったか？　迷信深いイエメン系のおばさんだった。ウェイターたちは？　ほとんどがモロッコ系の、スラムから通ってくる黒い髪、黒い瞳、黒い皮膚の青年たちだった。あのホテル全体を動かしていたのがオリエンタル系の人々だった。彼らは「ホテル」について思想を持っているわけではない。それは西洋人が持ちこんできたものだ。「ホテル」ではどのような食事を出すべきか？　西洋の食事だ！　シュニツェルだ！　だから、コックの彼女はシュニツェルをせっせと作ったのだ。東洋人が作った西洋料理だ。なんだかよくわからないが、西洋人がやるのを真似て作っているのだ。（ああ、彼女にとうがらしのサラダやはっかの葉の入ったひき割り麦のサラダを作ってもらったら！）

だから、あの貶められたシュニツェルが体現しているのは、単純に、西洋勢力の地平の貧しさ、とばかりもいえないのだ。むしろ、それはイスラエルの混乱を、トンネルの終りの光も容易に見えてこない深い混乱をあらわしているのかもしれない。

オリエントの舌——言語としての料理

砂漠の教室の課程を修了して外へ出て行く日を心待ちにした理由の一つは、シュニッエルの日々に終止符が打たれ、もう少し人間らしい食べものに出会える機会があるだろうということだった。出会いを楽しみにしていたのは、非ヨーロッパ系の人々が「オリエンタル」と呼ぶところの中東料理である。中東の料理といっても、当初は漠然とイスラエルのユダヤ人の料理、アラブ人の料理、イエメン系のユダヤ人の特別料理というように、きわめて曖昧模糊とした先入観で思い描いていたのだった。中東と呼ばれる地域のそれぞれの国や地方におのおの特徴的な食べものがあるように思いこんでいた。ところで、あとでわかったのは、もちろんそれぞれの場所によって特徴や性格が異なるものがあるのはあたりまえだが、それよりも中東全域にオットマン・トルコ（注：オスマン・トルコ）がはっきりとその足跡を残していったことだ。オットマン・トルコが中東のなかで、東のものを西へ西のものを東へというふうに伝え広めていった。ヨーロッパで中東の料理といえばじつはその大部分がトルコ料理であるらしい。あとはシリア料理、レバノン料理、ペルシャ料理だとされている。エジプト出身のひとがエジプト料理だと考えていたものが中東全体に共通の料理だった、というようなことがしばしばあるわけだ。

　中東はさまざまな国と民族と人種と宗教をかかえている。地理条件も季候も社会的な条件も変化に富んでいる。だが、わずかな例外をのぞいて、言葉はアラビア語である。とはいえ、アラビア語が共通言語として機能しない場合も多い。ある地域のアラビア語とべつの地域のそれが、両方ともアラビア語と呼ばれながらも、意思を通じ合うことができないほど異なっていることがあるからだ。宗教的にはイスラームが大多数であるが、キリスト教徒とユダヤ教徒とその他の少数宗派が、いくつもの共同体を形成している。

『中東料理の本』（ペンギン・ハンドブック）を著したクローディア・ローデンは、その本のなかにおさめた料理の出どころを、シリア、レバノン、エジプト、イラン、トルコ、ギリシャ、イラク、サウジ・アラビア、イエメン、スーダン、アルジェリア、モロッコ、イスラエルというぐあいに、広い地域に求めているが、これらの国々が食生活の領域においてどれほど離れがたく堅く結びついているかを示している。ギリシャにはいうまでもなくギリシャ特有のものがたくさんあるが、トルコの伝統にそっくりのものもあって、やはりそれはオットマン帝国の落し子であるらしい。そして、北アフリカのチュニジアやアルジェリアやモロッコには、中世時代のアラビア料理やペルシャ料理と不可思議な類似を見せているものがあるという。

　この『中東料理の本』の著者はエジプト生まれの女性だが、その一家はもともとスペイン系と呼ばれるユダヤ人の一族で、クローディアの父親はシリアとトルコのユダヤ人の血筋を引き、親戚の者たちはレバノン、北アフリカ、イランなどに幾世代も生きてきた人々と結婚している。このような環境のなかで、彼女の食べものに対する理解と愛着はつちかわれたようだ。

おもしろいのは、彼女にさまざまな料理法を「伝授」してくれた人々のほとんどが、材料のあつかいかた、見た目の感じ、匂いなどについて微に入り細に入り詳しく語るのだったが、なぜか材料の分量や煮炊きの時間についてはなにもいわないことが多かった、ということである。「ちょっとそのままにしておく」というのが、一時間放置しておく、という意味であったり、「匙五杯分」というのは、五という数がきまりがいいとか、好運な数だから、というようなぐあいなのだ。「××を少々加える」という表現には茶匙⅛から大匙山盛り一杯ぐらいの幅があるのだ。その料理のおいしさを描写するには、「かつてこれはかくかくの状況のもとで作られたものである」と説明する。彼女の調査によっても、料理の起源とその変化の過程、征服者によって伝えられた料理、大量移民、宗教の戒律の影響などについては、なかなかはっきりしないことが多いという。

中東の女たちは料理法を他人に教えるとき、「きわめて詳しく、かつ簡潔に教える」そうである。彼女たちが作り伝える料理には、エジプトのファラオの時代から伝承されてきたものさえある。母親から娘へ、姑から嫁へ、娘から娘へと受け継がれてきた料理である。西洋の女たちが暖炉のかたわらで編物をするように、中東の女たちは葡萄の葉を巻き、トマトに詰め物をする。かつてはクスクスも、各々の家庭でセモリナという小麦の堅粉を指で丸めて粒状にしたのだった。

それに中東の料理は経済的だ。小羊と挽肉がとりわけ好まれて使われる肉であるから。フランス料理のようにアルコール飲料を使うことはまれにしかない。回教が飲酒を禁じているからである。

中東の食生活の歴史は中東の歴史を映し出す。勝利と栄光を映す料理。敗北や悲しみを映す料理。愛の物語を映す料理。料理に関連した歌や詩も多い。

料理の初期の起源は、いまもなお、ベドウィンの簡素な料理から想像することができるという。いずれにしろ、イスラーム帝国はペルシャ帝国から食生活を受け継いだ。アラビア語のメニューにペルシャ名の料理が多く見られるのはそのためだ。ペルシャはそれ以前のアッシリアやバビロニアやアルメニアから受け継いだのだろう。

クスクスが北アフリカからアラビア世界に紹介されたのは、イスラームの征服の時代であっただろう。トルコのひき割り麦が広められたのもその時代だろう。オットマン帝国はその全体を受け継ぎ、さらに征服した国々の料理をつけ加えた。シシカバブは、オットマンの侵略軍隊が天幕で野営したときに開発された、という説もある。野菜の詰め物、ムサカ、それにすばらしい菓子のバクラヴァやコナファもオットマン帝国の落し子である。「真珠のような米」や「金髪美人のようなサフロン料理」という表現が、十六世紀のトルコの詩人レヴァニの作品にあるそうだが、オットマン帝国崩壊のあと、二十世紀の中東はローレンス・ダレルの中東となり、東と西の出会いが新しい料理をうんだ、とクローディア・ローデンは書いている。

料理という行為そのものも、食べるという行為も、微妙に、複雑に入りくんだ中東の文化の性格と生活を反映している。料理のなかに文化と伝統の幾星霜がかくされているだけでなく、料理も食べることも社会生活の重要な部分を担っているのである。中東のあらゆる地域で、客を厚くもてなすことは、厳格に守られるべき義務とされている。「自分が飢えようとも、客に食物を与えよ」とか「おまえの家の門に立つ他人の姿を見て扉を閉めることはならぬ」とか、どこへいっても聞かれる言葉だという。マホメッドの教え、諺、信仰、迷信の数々が、対人行動の礼儀を微細に規定している。だが、礼儀のきわまるところは、ひとを喜ばせることである。料理はかならず余分に作り、食事が終ったときには残り物がなければ失礼である。予告もなしに客がきたら、主人は「なぜきた?」と問うてはならない。大喜びで迎えなければならない。客もなぜ来訪したかについてすぐに切り出してはならず、まず主人一家の状況についてたずねるのである。まさしくオリエントである。

主人は政治や宗教について議論をふっかけるようなことをしてはならないし、話題が自然にその方向にいってしまったら、なにはともあれ同意する。口論など、もってのほかである。「なにか食べたいか」、「飲みたいか」とたずねることなく、どんどん出す。客は繰り返し断わるが、最後には主人のすすめの言葉に従うことになっている。

主人は客人を楽しませなければいけない。小話や謎々などを話してきかせる。

当然、客にも義務がある。かならず手土産をたずさえてゆくことはもちろんだ。出されたご馳走はまず断わる。のっけからムシャムシャ食べたりするなどとんでもない。そして、長居は無用。（だが、すぐ帰るのもいけないのだろう。ひとたびひとを訪ねていったら、ひととおりのことをすませて帰らねばならないのだろう。）

料理もこのようなしきたりに見合う、厳粛な態度で行なわれる。料理はどのような客に出されるかによって内容が変る。晩餐の献立てについて、朝のうちに長い討論が行なわれることも珍しくはない。夫たちはどのようなものが食べたいと妻に伝えるし、食卓では料理のできばえについて感想をいう。料理人が慢心することを避ける目的で、一こと二こと批判的なことをいうのがよい、とされている場合もあるそうだ。

おおぜいで料理を作ることも多い。母親たち、娘たち、従姉妹たちは食べものについて話し合い、助け合う。祝祭日など、盛大な集りがあるときは、親戚の女たちは当日の三日ぐらいまえに手伝いにくる。手伝うことができなければ、自分の得意料理をとどける。

宗教的な行事や冠婚葬祭にはそれぞれ特別な料理があり、もしそれが出されないと、不快なことと受けとめられて噂話のたねになるのである。東の文化は、どこもたいへん。

花々を言葉として意思を通じ合う文化もあるが、中東においては食物が言語である、とローデンはいう。なにを、どのように出すかということで、接待を受ける人物の社会的立場がわかるのである。社会的な立場、家族の中での位置、年齢などによって、接待の手続きが異なる。

たたりを避けるには葫（にんにく）がよい、といういい伝え――。疫病がはやったら、子供の首に葫を下げてやる地方もある。獣（けもの）のようにあほうになる、というので動物の脳味噌を食べない地域もあるかと思えば、反対に、脳を強くしさらに利巧になる、といって動物の脳味噌が珍重されるところだってある。小鳥のように臆病になってしまう、といって鳥類の心臓を食べない人々もいる。

色彩はひじょうに重要である。黄色のものは笑いと幸福を招き、蜂蜜や甘いものは人生を楽しくし、悲しみや悪から守ってくれる。黒はよくない。だからあまりにも黒々とした茄子は縁起が悪いと嫌われる。緑色はよい。

食べものの媚薬的効果についても色々いわれている。

技術もたいせつだ。種々の詰め物、菓子類の形や色がそれを語っている。視覚的な美しさの観念も洗練されている。もっとも伝統的な「最後の仕上げ」は、赤いパプリカか茶色のひめういきょう、そしてみじん切りのパセリだ。イスラームの装飾芸術をうんだ精神がそこにも生きている。官能的なブルーとグリーンの模様の皿に、うぐいす色の、刻まれたピスタチオの実！　クリーム・プディングを、ほの白くさらされたアーモンドが飾る！

けれども、木の実を砕いたり、かまどで昼夜にわたって煮こんだりするような時間のかかる伝統的な料理法は、女たちが家にこもり、家の奥深くだけを生活の場としてきた長い歴史があったからこそ可能であったといえる。かまどを守り、胃袋を守るだけでなく、コミュニケーションの手段としての食物をささえてきた彼女たちは、客がきても顔さえ見せてはならないとされていることも多いのだ。客としてやってくるのは、そのような場合、いうまでもなく男だけである。マホメッドは「男にとって女ほど有害なわざわいはない」といったそうである。ところが、地域によっては、女には悪魔のたたりを追い払う強い力があるとされて、そういうところでは、食事のときには、女たちにまず料理が配られるそうだ。いずれにしても、奥深く重層的な伝統である。

そんな伝統にはぐくまれて、のちに中東世界を追われてヨーロッパに移り住むことになった人々の中に、この著者のクローディア・ローデンも混ざっていたわけである。彼女は「われわれのある者たちはかつての生活を再現しようとした。とりわけ、過去の生活の側面としての食生活がそうだった。料理は中東での暮しの中できわめて重要な位置をしめていたし、追放の世界では、その意味はさらに大きかったのである」と書いている。彼女の家には、ふたたびカイロの市場の匂いがたちこめ、料理の皿が過ぎ去った日々の祝祭や記憶をよみがえらせた。彼女にとって、この料理の本を著すことは、とりもなおさず、彼女を育てた文化の一部を伝えることだった。一皿の料理に、切り離しがたくまつわりつく歴史や伝統、一皿の料理の匂いをとりまく感情や感性を伝えることであった。——「わたしの両親の家での金曜日の晩餐は、わたしの家での友人との集いは、食べものを楽しむことと同時に、過去の亡霊を呼び出すことでもあったのだ」

わたしのイスラエルの滞在はわずか八ヵ月だったし、「うまいものを求めて」の特別な旅をしたわけでもなかったから、権威をもってイスラエルの中東料理について語ることなど全然できない。けれども、折にふれて人々に食べさせてもらったものからも、文化と料理の深い結びつき、料理が表現している伝統の底深さと微妙さと複雑さを感じとることはできた。

ドルーズと呼ばれる回教の秘教的異端派の人々の家で食べたアラブ料理、落下傘部隊の青年がやっているレストランのイエメン料理、信仰あついイエメン系ユダヤ人モシェの店の「臓物料理」やとうがらし料理。イスラエル共産党員のアラブ人の奥さんのトルコ・コーヒー、ベドウィンの甘いお茶、テーブルの上に三十種も並んだアラブ・レストラン「ユーニス」のサラダ、友だちのシュラミット・ラズの台所の、彼女の母親秘伝のイエメン料理。テルアヴィヴのバス中央停車場のものすごい雑踏の中で売られている、安くてすばらしい仔牛の炭火の串焼き。エルサレム旧市街のお菓子屋で立ち食いしたバクラヴァやコナファァやザラビアやアーモンドだんご。そして、わたしの台所でわたしが作ったシシリクや、ヨーグルトと大麦のスープ。占領地区ガザの町のエジプト人の店の小羊の串焼き。そこでは皿は全部チェコスロバキア製で、東ヨーロッパの写実的な花模様の皿が、ガザの町の砂塵にジャリジャリと音を立てていた。

これっぽちの経験しかないのに、食べものが去年の亡霊を呼び起こす、なんていうこともじゅうぶんありうる、と思ってしまうのである。

オリエントの舌――ハイファの台所

わたしのハイファの台所をオリエントの舌というタイトルの下にもってくることはなんともおこがましい。そう知りつつ、そうするのである。なぜならば中東料理実験室となったわたしの台所は、それなりに中東の言語とまでいわれる料理のなにほどかをとおして出会った人々やものごとについて追体験したりたしかめたり考えたりする場所であったからだ。だいいち、それはかのおびただしき鼠のフンと格闘した戦場であった。そこは、「スーパーソール」と呼ばれるスーパーマーケットにおける戦闘を生きぬいたわたしがもどってきて、ほっとコーヒーを呑む場所だった。

そう、「スーパーソール」は戦場だった。いつでもものすごい混雑で、野菜を計量してもらうために長い列ができている。じっとがまんして列に並んでいても、つぎはわたしの番というところで、「あたしはほれ、この通り一品しか買わないから、先にやらせて」というようなことをいう人物が一人だけでなくあとからあとから現われて、わたしの番なんて全然まわってこない。そんなふうにしてせっかく計ってもらった苺なのに、それをショッピング・カートに入れておいたら、一人のおばあさんがついと手を入れて持って行こうとする。「それ、あたしのです。なにをなさりまする？」と問えば、おばあさん、怒髪天を突いて、「あたしゃ年寄りですよ。年寄りには思いやりを持ちなさいよ！」というのだ。「そうだ、そうだ」と加勢するおじいさんも現われて、わたしは孤立無援となった。友人に、やはりおばあさんにショッピング・カートからパンを持っていかれた男がいたが、彼が注意したら、おばあさんはショッピング・カートを武器として、彼を襲撃したのであった。「スーパーソール」へは戦いにゆく心構えで赴くのである。

ジェリコで車を止めたことがあった。いまでもジェリコの人口の大多数はアラブ人である。昼食のために、とあるレストランに寄った。レストランといっても、カウンターで食べるところだった。店はあまり清潔でもないし、ゴタゴタとへんな飾りがしてあるから、どうせたいしたこともないだろうと思ったから期待もせずに、主人のアラブ人がすすめてくれた若鶏の丸焼きを食べたのだったが、これがなんとまあ、すばらしい。鶏じたいもおいしいロースト・チキンなのだが、それに添えてあるソースがすばらしい。「とてもおいしいです」とわたしたち三人の一行が口々にいううち、店の主人と色々話がはずんで、主人は自分の家庭のことなどを話してくれた。幼い娘がいるが、この子はキリスト教のミッション・スクールに入れた、というのだった。自分は回教徒だが、ミッション・スクールの教育は確実だし、娘に教育を受けさせておくことがひじょうに大事だと思うと。庶民のアラブ人のあいだでは、まだ女は早く嫁に行けばいい、という傾向が一般的なのに、この若い父親の考えはちがうようだった。娘に彼のロースト・チキンをもたせてやると、学校の教師たちがどれほど悦ぶかというような話もするのだった。

わたしはチキンと茄子のサラダとテヒナを食べて、チキンのソースがあまりにおいしいのでどのようにして作るのか、もしかまわなかったら教えてほしい、とたのんだ。彼はこのソースは彼の発明したもので、ジェリコはおろか、エルサレムにだってこのソースはない、と断言して教えてくれた。その内容は次のとおり。

レモンをしぼってジュースにする。たっぷりとジュースがとれるように、レモンをけちけちしてはならない。そこへ塩とにんにくのみじん切りを加える。そこへ、さらに玉葱をおろして加える。良質の黒胡椒を挽いて入れる。

これでもじゅうぶんおいしいが、「じつはほかにもなにかありますね」といったら、「そう、そのとおり。でもね、この先は秘密なんだよ」といっていた。わたしはハイファにもどって、さっそくロースト・チキンを作りこのソースを準備した。ソースはあの店で食べた味に近くなった。どうしても教えられない秘密とは、ごく微量の生姜のおろしとうこん根の粉ではないかと思う。それと、鶏を焼くとき、それにオリーブ油と塩と胡椒をぬったりするわけだが、さらにレモン汁をこすりつけ、玉葱のおろしをこすりつけるとよいようだ。鶏のからだの中には、パセリ二本と荒くきざんだ生姜と玉葱とタラゴンとタイムを少量詰めるとおいしい。しかしこの詰め物はべつに中東風というわけでなく、わたしがあちこちで見聞きしたものを綜合し整理したものである。

この店の茄子のサラダも、茄子が焼き立てのところを作ってくれたのでおいしかった。茄子のサラダの作りかたは以下のよう——。

茄子のサラダ（ババガヌーシュ）

材料　大きめの茄子（べえなす）三個

にんにく二片〜四片

塩

テヒナ　カップ二杯（マヨネーズでもよし）

ひめういきょう粉末　茶匙½（なければなしでよし）

パセリのみじん切り　大匙二杯

あれば黒いオリーブ、あるいは薄く輪切りにしたトマト（飾り）

テヒナはじつに中東人の大好物で、食前にピタにテヒナをつけて食べないことはまれである。テヒナは白ごまをすったものである。手に入らない場合はマヨネーズを使う。また、ここでいう茄子はいわゆる「べえなす」と呼ばれている巨大なものである。それがない場合は、ふつうの茄子五個〜六個を「べえなす」一個と見ればよいと思う。ひめういきょうは「カミン」と呼ばれている。

作りかた　ここに記した材料はかなり多量のババガヌーシュを作るためのものであるから、必要に応じて減らせばいい。

まず茄子を焼く。炭火が理想的であるが、だめなら、ガスで網焼きにすればいい。皮が黒くなり、火ぶくれになるまで焼く。茄子の身がやわらかく、水っぽい感じになっているはずである。焼けたら、水道の水を流しながら、皮を剝く。黒く炭化した部分は残さずに取り去る。それから、そおっと汁を絞り出す。苦いからだ。汁を絞り出した茄子をボールに入れて、フォークでつぶす。あるいはすり鉢に入れてペースト状になるまでたたきつぶすようにしてもよい。電気ミキサー（ブレンダー）にかけてもよい。

そこへにんにくを塩と一緒につぶしたものを加える。テヒナ（あるいはマヨネーズ）とレモン汁を少しずつ入れながらよく混ぜる。味をみて、塩やレモン汁やにんにくを追加する。最後にあれば、ひめういきょうを少々加える。これをボールかめいめい皿に盛って、パセリのみじんぎり、トマト、オリーブなどできれいに飾ってできあがり。ピタと呼ばれるアラビア・パン、あるいは他のパンと一緒に出して、オードブルに。あるいはサラダとして食べてもいい。クラッカーやポテトチップにつけて食べてもいい。

なお、ババガヌーシュというとテヒナの入った茄子のサラダをいうわけだが、テヒナ（あるいはマヨネーズ）を入れない、いわば茄子のピューレーとして食べることもしばしばある。このほうが味がさっぱりしているから、そのほうが好きだというひともいるだろう。

サラダはたいへんに種類が多い。中東でサラダというと、レタスの葉が基本になって、その中に色々入れるというのではなくて、生野菜を細かく賽の目に切ることが多い。ひき割り麦も使う。マッシュルームは油で料理して冷まして使う。フムスというのは「ひよこ豆」とも「エジプト豆」とも呼ばれる豆をすりつぶしたものだ。サラダ用のオイルはオリーブ油がふつうだが、これをふんだんに使う。オリーブ油を飲んで疲れをとる人もいるほどだ。（良質のものなら、植物性サラダ油でじゅうぶんだとわたしは思う。日本ではオリーブ油は高すぎる。）ドレッシングの基本はオリーブ油とレモン汁と塩と胡椒だが、そこにつぶしたにんにくを加えることも多い。レモン汁とオリーブ油を五分五分の割合で入れてずいぶん酸っぱくして食べる人もいるが、フレンチ・ドレッシング程度の割合にしたほうが無難かもしれない。レモン汁一に対し、オイル三である。パセリのみじん切りはほとんど例外なく散らすが、中東のパセリは葉にパーマネントがかかったようなチリチリした種類でなく、いわゆるイタリア・パセリと呼ばれる平たい葉のものである。これは味も舌ざわりもちがうのだが、ない場合はふつうのを使うよりしかたがない。はっかの葉を細く切って加えたりすることもある。
もっとも簡単で、どこにいてもできるのはつぎのようなものだ。

サラダ

1　ミックス・サラダ

材料　レタス、きゅうり、トマト、玉葱、赤かぶ（なければいらない）、パセリ、ディル、はっか（あれば、のこと）。

作りかた　レタスは細く、トンカツのつけあわせのキャベツのように切る。きゅうりもトマトも小さな賽の目に。玉葱はみじん切り。それをまとめてボールに入れて、赤かぶを薄く輪切りにしたものと、みじん切りのパセリとディル、ミントなどを加える。

ドレッシングはオリーブ油（サラダ油）とレモン汁を三対一の割合にして、塩と一緒にしてつぶしたにんにくを入れ、味をみながら塩と胡椒を入れる。

ドレッシングは食べる直前にかけること。べつにどうということもないように思えるが、野菜を細く切ると、ドレッシングの味がよくついておいしい。

2　ヨーグルトときゅうり

材料　きゅうり二本（賽の目に切る）、塩、にんにく二、三かけ、ヨーグルト（もちろん甘くしてないプレーン・ヨーグルト）カップ一杯半、白胡椒、はっか（生のものなら大匙三杯、乾燥したものなら大匙一杯）

作りかた　賽の目に切ったきゅうりをざるに入れて三十分そのままに。塩と一緒ににんにくをつぶして、そこへまず大匙二、三杯分のヨーグルトを加えて混ぜる。それを残りのヨーグルトに加えて、よく混ぜる。塩と胡椒を入れる。ミントを加える。それはっかがこのサラダの味をきめる。きゅうりの水を切って、ヨーグルトのドレッシングに加える。飾りには、みじん切りにしたはっかを加えるとよい。これはトルコ風のサラダである。

3　熱を加えて処理した野菜のサラダ

じゃがいも、ビート、ズキニ、いんげん、カリフラワーなどゆでるか、蒸すかして、賽の目に切ったり輪切りにしたりして、例のオイル、レモン汁、にんにく、塩、胡椒のドレッシングをかける。

4　ほうれん草とヨーグルト

ほうれん草をゆでて、二、三センチに切っておく。ヨーグルトとにんにくのつぶしたのを、卵をとくようによく混ぜて、冷たくなったほうれん草にかける。塩、胡椒してから食べる。

5　マッシュルームのサラダ

これはギリシャに伝わるサラダ。

材料　マッシュルーム　二百グラム、オリーブ油　大匙三杯、水　大匙一杯、レモン汁　レモン半個分、タイム（なくてもいい）　茶匙½杯、パセリのみじん切り　大匙四杯、にんにく一、二かけ。

作りかた　マッシュルームを洗って、よく水を切る。大きすぎると思ったら、半分に切る。深めのフライパンにオリーブ油と水を入れて熱し、そこへマッシュルーム以外の材料を全部入れて、煮立たせ、それからマッシュルームを入れて、弱火で十分ほど。十分では長すぎることもあるので注意。マッシュルームがやわらかくなったらできあがり。よく冷やして食べる。

6　タブレー（ひき割り麦のサラダ）これにはどうしてもはっか（ミント）が必要である。レバノンのサラダ。

材料　ひき割り麦　二百グラム、玉葱大きめの一個（みじん切り）、塩と黒胡椒、パセリのみじん切り　カップ二杯ぐらい、ミント（みじん切り）大匙三杯（生の場合）大匙二杯（乾燥したものの場合）、オリーブ油　大匙四杯以上、レモン汁　大匙四杯、レタスの葉少々。

作りかた　サラダを作る三十分前にひき割り麦を水につける。ふえて大量になるはず。それから、手で絞るようにして水を切り、乾いたふきんの上に広げる。手でみじん切りの玉葱をつぶすようにしながら、ボールにとった麦とまぜる。塩と胡椒で味をつける。パセリとミントとオリーブ油とレモンを加えてよく混ぜる。味をみて足りないものを適当に追加する。レモンの味が強くないといけない。にんにくを加えてもいい。

タブレーはめいめい皿にレタスを敷いて、その上に盛りつけて出すのがふつうだが、大皿につけて、黒オリーブやトマトやきゅうりやピーマンで飾りつけてもきれいだ。

7　茄子とトマトと赤とうがらし

これは友人のシュラミット・ラズが教えてくれた。シュラミットとその夫のヤコブは、東京に四年ほど暮したことのある夫婦だ。二人はテルアヴィヴに住んでいて、砂漠の教室から逃げて訪ねてゆくと、おいしいものを食べさせてくれた。満腹したら、わたしたち四人は居間の床に座ぶとんを敷いて寝ころんで、井上陽水とか布施明とかのカセット・テープを聴くのがならわしだった。シュラミットがこの二人の大ファンだからだ。シュラミットは陽水の歌や布施明の「シクラメンのかほり」を上手に歌った。床のざぶとんに寝転んでいるといやにのんびりした気分になって、雨の午後など、わたしたちはそんなふうにしたまま何時間もゴロゴロしていた。ヤコブは勤勉に勉強して、「日本の伝統演劇における観客の性格とその歴史」というようなテーマで立派な論文を書いて、ついに博士になってしまった。

シュラミットの茄子のサラダの材料は、茄子とにんにくとトマトと水と塩とレモン汁と赤とうがらしだ。

作りかたは簡単。まず茄子をたてにスライスして、それを油で焼く。べつににんにくと皮を剝いたトマトのぶつ切りと水と塩とレモン汁と赤とうがらし（細かく切って）を煮立てて、これを茄子にかけるのだ。冷蔵庫に入れてよく冷まして食べるとすばらしい。何日でもよくもつから、多量に作っておくといい。にんにくは多目に、トマトは茄子二個に対し一個ぐらい。レモン汁や赤とうがらしは好みで適当に。

「スーパーソール」で一週間分の食糧を買いこむと、やけに髪をもしゃもしゃにしたアラブ人が届けてくれるのだった。アラブ人の大学教授という人々にも会ったが、やはりアラブ人の多くは非熟練労働に従事していることが多い。その理由として、あるアラブ人は、貧しさだけでなく、アラブ人が兵役につけないことをあげていた。アラブ人が兵役につけるようになれば、兵役期間に受けられるさまざまな訓練の一部が職業訓練となって役に立つことだろうと。イスラエルのユダヤ人はアラブ人を兵役につければ危険だと考えているから徴兵しないわけだが、われわれイスラエルに住むアラブ人がイスラエルを相手にとって反逆するつもりなら、もうとっくにしていたはずだ。反対に、われわれはこんなにおとなしく暮してきたことを考えて、兵役の点でも平等にあつかうようにすることが、イスラエルのためになるはずだと。髪の毛をやけにもしゃもしゃにしたアラブ人がわたしの食糧の重い箱を肩にかついで届けてくれるたびに、わたしはその人のその言葉を思い出した。そして、箱から肉などを取り出し、食事の用意をした。イスラエルの滞在ももう終りに近づいていた。

エジプト料理といわれる、ひよこ豆（エジプト豆）とズキニと牛肉のシチューを作った日は急に変に暑くなって、それまで咲いていた「クイーン・メアリのレース」があっというまに立ち枯れ、翌日は庭一面に黄色い花が咲いた。もうハムシーンがやってきたのだ。砂漠から吹いてくる熱風である。この風が吹くと頭痛になって寝込んでしまう人もある。そのつぎには、オクラと小羊の肉のシチューを作った。オクラは日本でももう一般的に売られているから、作りかたを書いておこう。小羊の肉でも、牛肉でもいい。

オクラ入りシチュー

材料　オクラ　四百グラム、玉葱大二個、にんにく　大きいのを一かけ、油　大匙一杯半、角切りのシチュー肉　四百グラム、よく熟れたトマト　百五十グラム（輪切り）、トマト・ペースト　大匙一杯（なければトマトピューレー　大匙二杯）、塩、黒胡椒、レモン汁一個分、コリアンダー（こえんどろ）少々（なければなしでいい）

作りかた　オクラを洗って、ヘタをとる。玉葱をぶつ切りにして、丸のままのにんにくと油でいためる。コリアンダーがあれば一緒にいためる。そこへ肉を入れて、よくいためる。オクラを入れて、ほんのしばらく静かにいためる。トマトを入れてさらにいためる、水をひたひたになるくらい入れる。トマト・ペーストも少量の水でといて加える。塩と胡椒を加えてよくまぜ、煮立ったら火を弱めて、一時間半かそれ以上、肉と野菜がやわらかくなるまでゆっくり煮る。水が必要なら少し足してもいい。煮上ったらレモンを入れる。塩と胡椒の加減をみる。

これらのシチューはローデンの本から教わったものだが、この本でもう一つよいと思ったのはヨーグルトと大麦のスープだった。ベースは鶏のスープである。

大麦とヨーグルト入りのチキン・スープ

材料　玉葱　大一個、バター　大匙二杯、チキンスープのストック　カップ三杯半、玉麦（これは大麦を丸くすったものだが）約八十グラム（一晩水につけてふやかす）、みじん切りのパセリ　大匙二杯、塩、白胡椒、ヨーグルト　カップ三杯、乾燥したはっかを細かくしたもの　大匙二杯。

作りかた　大きめのソースパンにバターをとり、玉葱をやわらかくなるまでよくいためる。そこへチキンストックを加え、煮立たせる。玉麦の水をよく切ってそれを加え、一時間ぐらい弱火でよく煮る。パセリと塩と胡椒を入れる。ヨーグルトを泡立器でよくかきまぜる。スープを足してもよい。泡立てる要領で力を入れてじゅうぶんまぜる。煮立たせるとヨーグルトが固まってしまうので、煮立たせないように注意しながら少しずつヨーグルトをスープに入れる。

塩加減をみてスープ皿につける。はっかをふりかける。

玉麦が入手できなければふつうの大麦でもできると思う。はっかがどうしても手に入らなければ、入れなくても、スープはじゅうぶんおいしい。チキンスープのストックはやはり自分で作ったものが一番だが、忙しければそうもいっていられないから、缶詰のチキンスープ（澄んだもの）や固形スープでもいいのではないか。自分でストックを作る場合はガラや手羽や余りものの鶏肉をあわせて、セロリや人参や玉葱を入れて一時間半ぐらい煮て、できたら濾して使えばいい。鶏肉を多く入れればそれだけおいしくはあるが、ガラや手羽などを入れて作ったものにコクが足りなければそこへ固形スープで補えばいいのだ。

ハイファの目抜き通りの肉屋はいつも混んでいた。バス停の前の店だ。じっと並んで順番を待って買うが、並ぶのなんか絶対にいやだ、あたしにはそんな時間がないのよ、とわめき立てていた若い女性もいたっけ。先週はビニールの袋をただでくれたのに、今週はなぜ三十アガロットも払えというのよ、とおそろしい剣幕で抗議していたドイツ系の婦人もいたっけ。わたしはその店でかたまりの牛肉を挽いてもらうことにしていたが、挽いてもらうときに「筋と脂を落としてね」というと、アラブ人の助手はいつも「そのようなことは禁じられている」と答えた。いったい誰がどのようにどう禁じているのかさっぱりわからない。でも、いつもそういうのだった。そこで挽いてもらった肉で、わたしはコフタ・メシュウェヤ（挽肉の串焼き）やコフタ・ビル・サニア（ミートローフ）や「御婦人のふと腿」と呼ばれるトルコ風ミートボールなどを作ってみた。

挽肉の串焼き

材料　小羊（ラム）あるいは牛肉の挽肉　四百五十グラム、玉葱　一個（すりおろす）、玉子一個、塩、胡椒、この他に次のようなスパイスを入れるとよい。——粉末のシナモン　茶匙半杯、あるいはオールスパイス　茶匙半杯、あるいはカミンとコリアンダーをそれぞれ茶匙¼ずつ。

作りかた　中東の挽肉料理は挽肉をこねるようにするのが特徴。この串焼きの場合も挽肉がとても柔かくなめらかになるまでこねるのが秘訣とされている。挽肉と他の材料を合わせてよくこねたら、ソーセージのように形を整えつつ金串につける。（金串は平形のものがよい。）一個の肉のかたまりの長さは七センチぐらい。炭火で焼くのが理想だが、なければオーブンのブロイラーを使うか、ガスで焼くかになる。金網にはよく油をしくこと。焼きながら金串を回転させてまんべんなく焼くように。あたたかいピタの中に入れて食べることが多いが、たきたての御飯の上にのせて肉汁を受けるようにして食べるのもおいしい。サラダをそえる。

挽肉の串焼きを作るときに、シシカバブも一緒に作るといい。その場合、つけ汁を用意して、肉をしばらくつけたほうがおいしい。つけ汁はオリーブ油とレモン汁とすりおろした玉葱とベイリーフとうらごしのトマトなどを合わせ、それに塩・胡椒、オレガノ（あるいはタイム）を加えて作るのが一つ。古典的なトルコ風のものはオリーブ油とレモン汁とシナモンと塩と胡椒だけである。

わたしが作っていたミートローフはふつうのミートローフとそれほどちがうわけではないのだが、スパイスとしてシナモンやオールスパイスを使うかわりにカミンとコリアンダーを使った。玉葱はみじん切りでなく、おろし金でおろして入れる。そして中火のオーブンで四十分位焼いたら、トマト・ペーストを少々の水でうすめたものを、その肉の上からかけてあと十分位焼く。でき上ったら、その上にパセリのみじん切りをたくさんかけると、トマトの赤とパセリの緑色がとても美しい。

さて、食事の最後の仕上げにはプディングとトルコ・コーヒーがいい。中東には色々なプディングがあるが、材料は米やとうもろこし粉や小麦粉で、オレンジ・ブロッサムやばら香水や乳香酒やシナモンでほのかに香りをつける。砕いたアーモンドや乾し葡萄やその他の木の実を散らして飾る。オレンジ・ブロッサムやばら香水が日本で手に入るかどうか調べてから、べつの機会に作りかたを書こう。ない場合、なにを代用に使ったらよいか、それも調べよう。

さて、トルコ・コーヒーだが、これはコーヒーの豆を挽く道具をもっていればできる。あるいはコーヒーの豆を売ってる店で一番細かく挽いてもらえば、それでもいい。

わたしにトルコ・コーヒーの入れかたを教えてくれたのはイスラエル共産党アラブ党員の夫人で、なかなかおっかかない奥さんだった。彼女は四五歳ぐらいで、背が高くすらりとしていて、絵を描く女性だった。二人のアパートは三階にあったが、一階の入口を入ると壁じゅうに巨大な花がたくさん描いてあって、それが三階までの階段の壁、踊り場の壁と、とぎれることなく続いて、二人のアパートのドアを開けるところまでずっと続いていた。家の中も、野性的なというか、かなり粗いタッチで描かれた極彩色の花盛りで、洗面所にも、床から天井まで、花、花。では、その彼女によるトルコ・コーヒーの入れかた——。

一人分の材料　細かく砕いたコーヒー　茶匙山盛り一杯、砂糖　茶匙すりきり三杯（これは好みによって調節）、水　デゥミ・タス・サイズの小さなコーヒーカップ一杯分。

これらを手鍋のようなものに一緒に入れて沸騰させる。沸騰したら、こぼれないうちに火から下ろす。これをあと二度繰り返してでき上り。熱いところをすぐに呑む。これにしょうずくの実を入れることも多い。コーヒー・カップの底にコーヒーがたまるが、匙で混ぜて呑んではいけない。

共産党員へのインタビューは二時間と約束してあったが、ついつい三時間ほどになってしまった。夫人が「夫の健康が心配」といって、わたしたちを帰らせた。沈黙のおばあさんも出てきて見送ってくれた。彼女は党員氏の母堂であるが、にこにこしてるだけでなにもいわない。白髪のこのおばあさんはなんだか日本のおばあさんみたいだった。歴史の転換期や戦争をいくつも見てきたおばあさんだな、とわたしは思ったが、アラビア語ができないわたしは沈黙のおばあさんになんといったらよいかわからなかった。

その日、党員氏のつぎのインタヴューは、アウシュヴィッツ強制収容所を生きのびたサロニカ出身の男性だった。そのインタヴューのあと、わたしたちはどうやって家まで帰ったのかおぼえていないのだ。雨が降っていた。どうにかともかくアパートまで帰りついたら、もう真夜中だった。わたしたちは黙りこくって台所でスープを呑んだ。そう、あの台所はたしかに、さまざまな人々に会いに行って話を聞かせてもらう生活を送っていたわたしたちの給油所だった。人造大理石でできた流し台やカウンターのひやりとした感触や大雨の日に窓ガラスを打つ木の枝のことを思い出す。最近、女医の家主のぐあいがまたあまりよくないと人づてに聞いて、わたしは遠い台所のことを思う。あの台所にもどることをおそれている一人の女性のこころの闇のことを思う。

あかつきのハデラ病院

ハデラ病院などへ行くはめになったのは、砂漠の教室にヴィールス性のものらしい病気が発生したからである。病気にかかった生徒たちのうちでも、デイヴィッドがいちばん重症で、ついに救急車で入院した。

夜の十一時頃、急に腹痛がして、続いてはげしい下痢と嘔吐が繰り返しあったので、わたしはホテルの受付けのおにいさんに病院に連絡してもらった。学校の人たちは夜は家へ帰ってしまうので、わたしたちは不親切なホテルのスタッフに頼るよりしかたない。夜中の二時頃だったから、受付けのおにいさんはロビーのソファに毛布をかぶって寝ていて、起こしたらブツブツいった。

町の診療所から医師がきてくれたが、彼が帰ったとたん、猛烈なふるえがきて、そのうえ下痢も嘔吐も止まらない。再びソファに寝ていたおにいさんを起こした。さっきの医師と連絡はついたが、「二度も往診できないね。救急車を呼んで病院に入れなさい」という答だった。

ナターニャの町には病院がないので、ハデラの町まで行かなければならない。ようやく救急車がきたころには、デイヴィッドはもう歩くこともできない状態だった。ハイウェイを走ってハデラに向うと、もう夜が明けてきた。ふるえはまだ止まらない。

病院に着くと、大あくびをしながら小柄な看護婦がボソボソと質問する。からだのあちこちをかいたり、水を呑みに行ったりして、一向にあわてる風もない。病人のほうは先刻の注射で唾液がぴたりと止まってしまったらしく、喉が焼けつくようになっている。すっかり弱ってしまって声もでない。当直の医師がくるまではなにもできない、といって看護婦はまたあくびをした。当番の医師は全然姿を現わさない。デイヴィッドは渇きのために少々気がおかしくなってしまった。

じりじりと待つうち、ようやく医師がきた。

「下痢と嘔吐がひどいそうだが、なぜそんな病気になったんだ？」という。

「なぜかわからないが、病気になった」と答えたら、

「本人のおまえにわからないんじゃ、こっちはよけいわからない。とても治療できないや」なんていう。

わたしはカッとしてなにかいったらしい。医師は、マアマアというような身振りをした。地獄のような病院だ、とわたしは思った。今後は、ユダヤ人には立派な医者が多い、なんておまえらいうな！　と思った。この医師は結局、なんかの注射を一本うてと、あくびする看護婦に命じて帰ってしまった。あくびする看護婦は大きな注射器をブスリと

文字通り突き立てるようにして病人の尻に射して、病人がうめいたら、「これしきのことで！」と笑うのだった。

もう八時だった。午前四時に着いて、もう四時間も経過していた。昼間の勤務の人々がやってきて、病院全体がようやく動きはじめる。やさしい女医さんがデイヴィッドをみてくれて、少し楽になったようだ。わたしはベッドにもたれてぼうっとしていた。

そのわたしを手招きしてる人がいる。夜明けの病院にわたしたちが到着したときに床を洗っていた掃除のおばさんである。

「マダム、食べなくてはいけません。まいってしまいます」と彼女は英語とヘブライ語をまぜていった。

「ええ、でも食べる気もしないのですよ」と、わたしは英語でいったが、「英語はわからない」と彼女はヘブライ語で答えた。わたしはまだ習いはじめて二週間めのひどいヘブライ語で、「食べることはできないと思います」といった。

「食べなければいけません」と彼女はあくまでも主張するのだった。そして、ついてくるようにと。わたしは、では紅茶だけ、といって彼女のあとからついて行った。

そこは小さな台所のようなところで、急患室の隣にあった。彼女はお茶を入れてくれて、それから鍵のかかった戸棚を開けてパンを出した。

「食べなくてはいけません」と。

冷蔵庫からトマトとチーズも出した。

「食べなくてはいけません」と。

わたしはついに負けて、指でおしこんだって食べる、このひとの好意を無にすることはできないと思った。では、といって、パンとチーズをもらったら、涙が出てしまった。

わたしはヘブライ語はろくに話せない。彼女は英語はほとんどわからない。フランス語はできるか？ という。ほんのすこしね、とわたしは答えた。ポルトガル語は？ できません。イディッシュ語は？ できません。この掃除のおばさんはフランス語とスペイン語とイディッシュ語とヘブライ語とわずかながら英語の五ヵ国語を喋るのだった。わたしとおばさんは英語とフランス語とヘブライ語とイディッシュ語の単語を混ぜて身の上話をしたのである。彼女はポーランドで生まれ、ブラジルに暮し、イスラエルにやってきたひとだった。根性の悪い医者とあくびするなげやりな看護婦にはじまったこの病院の悪夢から、わたしは救出された。たすけにきてくれたのはトントを従え白馬に乗ったローン・レンジャーではなくて、モップをもってあかつきの病院の床を洗う年老いた女性だったのである。

知らない指

イル・アティカとは壁に囲まれたエルサレムの旧市街のことだが、この市街にある店の大多数はアラブ人の店である。石畳のせまい街路の両側にびっしりと店が並んでいて、男たちがさかんに客を呼んでいる。たいていそこは大変な混雑だ。店の裏側には中庭を囲むようにして住宅がある。イル・アティカは観光客のためにあるわけではない。見えない中庭をぐるりと取り囲んで、生活があるのだ。もめんの上っぱりを着た、大きな黒い瞳のアラブ人の子供たちが、その背にカバンを背負って学校から帰ってくる。手押し車に小羊の死骸を山盛りにして、それを押しながらゆるい勾配の石畳の上を行く男がいる。うろうろする観光客たちを「ホラ、ホラ、ホラ」というように聞こえる言葉で押し分け、押しのけて、皮をすっかり剝がれて桃色の肌をさらしている死んだ小羊たちの山盛りを運んで行く。靴の修繕を専門にやっている店では、二人の職人が昼の食事の最中だ。店は間口半間、奥行一間くらいだろうか。そのとなりの木の実専門店では、おかみさんが木の実を全部数粒ずつ試食してみている。

「そんなに食っちゃこまるな、おばちゃん、商売あがったりだ」

「うるさいね。味のよしあしも知らずに買うわけにゃあいかないよ」

店員とおかみさんのやりとりはそんな内容だろうか？

旧市街へ行くと、わたしはただただ圧倒されてしまう。手押し車に山盛りの羊の死骸や、トルコ・コーヒーのすばらしい香りや、甘いお菓子の陳列された店頭や、店員が客を呼ぶ声や、生肉の湿り気をおびた重いにおいや、無数の旗のようにぶら下がっているベドウィン婦人の中古ドレスの鮮やかな色たちがいちどきに襲ってきて、一つのことに集中することができない。らばが絵本で見るようなやさしい目をして、振り分けになった袋を下げてゆっくりと歩いている。およそ二千年の昔、長く執拗な抵抗をついに打ち砕いてローマ軍がこの都市を陥落させた。そのとき流された血がこの石畳を洗ったのだ。らばはまるでその二千年をここで生きてきたのではないかと思うほどに歴史的自信に満ちている。

アメリカ人のヒッピーが真鍮のトルコ・コーヒー・セットを値切ってる。イギリス人のヒッピーが見事な刺繍のブラウスを値切ってる。ぼんやりしていたら、いきおいのいいアンチャン風につきとばされた。

運動靴をはいて、軽いスラックスを着けて、ばかばかしい帽子を被っているアメリカ人の団体。髪などもきちんと結い、固苦しいような服装をしている女たちの一群は「復活祭」を聖地で祝うためにやってきたドイツ人のクリスチャンの団体さんだが、なぜこの人たちからはひそかに獰猛な「邪教的」なにおいが立ちのぼるのだろう？

できたての、ピタと呼ばれるパンを高く積み上げた盆を頭にのせて、人混みをかき分けて行く青年。オマー・シャリフみたいだ。ドンと人にぶつかったりするが、頭の上のパンだけは安定している。香ばしい香りは、ピタについたごまのそれだ。なんだか、すっかりからっぽになってしまったような気持で、ふらふら歩いているわたし。

わたしは旧市街をいくどか訪れたが、ついに最後の機会までは買物をすることができなかった。石畳の上で起こっていることの色彩や音やにおいにすっかりぼんやりしてしまうし、そんなときに立派に値切って買物なんかできやしない。イスラエルを去る数日まえ、最後だと思って旧市街へ向ったときも、買物をするだろうとはあまり思ってはいなかった。おみやげなどもどこかで買い揃えなければならないことは承知しつつも、どうせあそこへ行けばぼんやりしてしまうばかりだから、と思っていた。

その日、わたしたちは三人連れだった。わたしの夫とその弟とわたしだ。金曜日の午前中のことで、例のごとくダマスカス門から入って行ったが、なんだかいやにシンと静かなのだ。閉っている店も多い。八百屋や肉屋やパン屋など、生活の店が閉っている。どんどん街の奥へ入って行くと、それでもみやげ物屋風のところはだいたい開いている。そう、そういえば、金曜日は回教徒たちの安息日だった。とわたしたちも思い出した。ふつうの日は、彼らは祈りの時間がくれば、メッカに向いて祈りを捧げればいいのだが、金曜日はモスクへでかけて行かなければならないことになっている。それで、こんなに静かなのだ。

歩いていても全然人にもぶつからないし、腕を引っぱられて店へ連れこまれそうにもならない。「地には平和……」である。勾配の街路の上へ下へ、見通すことまでできる。店頭のギラギラした裸電球たちも消えていて、石の街はほの暗い。

押す人たちもいないし、トルコ・コーヒーのにおいに酔うこともないしで、わたしたちはみやげを買ってみようかと相談した。ここでは値切らないで買うということはない、と聞いている。値切ることを前提にして値段がついている。値段は浮動価格だ。観光客はばかにされていつだって高すぎる値段で買ってしまう、ともいわれている。じゃ、やってみるか、ということで、わたしたちはアクセサリー屋へ入った。

デイヴィッドがどんどん値切ってる。このヒトずいぶん堂々とやってるな、と思ったら、弟もあきれたようにして見ている。そんな値段ならいらないよ、といいすてて店を出ると、追いかけてきて、よし、あんたのいい値でいいや、しかたねえや、といってこちらのいうとおりになることもある、と聞いていたからかどうかわからないが、わたしたちも、そんならいらないよ、といって店をスタスタと出たが、そのあとを揉手（もみで）をして追ってくる者はいなかった。値切ったり、ふっかけられたり、たいした物も買わないのに、けっこうおもしろおかしい思いをして二時間ぐらい、石畳を上ったり下りたり、西へ行ったり東へ行ったりしていたが、やはりその日のハイライトは最後に中古のドレスを買ったときのことだ。

服を買うつもりなんか、ほんとは全然なかった。あれこれみやげなど買って、ああ、おもしろかったと思っているうちに、ついあちこちにぶら下っている長いベドウィンのドレスを見ていたのだ。よく見ると、それらのドレスの刺繍がとても美しい。どれだけの時間をかけてほどこされたものだろうか？　胸と肩と袖とスカートにそれぞれこまかい刺繍がしてある。手でした刺繍だ。服そのものは、あちこちにしみがついていたりして、着古されている。わたしが買ったものも、袖口などはなんどか繕われたらしいあとがある。

買おうか？　高いかな。

買えよ、買っていいよ。

きっと似合うよ、姉さん。

じゃ、いくらかきいてみようか？

わたしがわたりあった相手は子供だった。一〇歳ぐらいの男の子だ。彼はわたしがドレスに興味をもっているらしいと察して、店頭につり下げられている長いドレスたちの行列のまえに立つと、どれがほしい、とたずねた。英語である。どこで英語をおぼえるのだろう、とわたしは思った。

まだ、眺めてるだけで、よくわからないけど、これなんかいくら？
六百ポンド。
六百ポンド？　これが？　ねえ、あんた、あたしにそんなお金があると思うの？
あるさ、そのくらい。
六百ポンドじゃ、買わない。三百にしなさい。
三百たあ、ひどい。せめて五百でカンベンしてくれ。五百だって、掘り出し物だよ。
五百。だめね。三百よ。
きついひとだ。四百。
三百。
ええい、しかたない三百。
でも、あたし、ほんとはこっちのほうがきれいだと思う。これはいくら？
これはちょっと格がちがう。八百だ。八百だってまけてあるんだ。
八百?!　じゃ、だめね。あたし、そんなお金あるように見える？
見えるよ。
八百じゃ、とてもだめね。まけなさい。
七百。大出血で七百だ。
とても、とても。それじゃ話にならない。さっきの三百になるのなら、これ四百でいいはずよ。四百。

そんな無茶な。これは別格なんだ。全然ほかのとちがうだろ？　六百。

四百。四百。

ねえさん、あんた、くにはどこなんだい？

（なぬっ？　小僧め、あたしのくにがどこだって、そんなことあんたの知ったことか、とややムカッとして、わたしは）

「あててみな（guess）」といった。

すると、少年は、

「ねえさんは『あててみな（guess）』のくにからきたんだ。だから、特別に五百にまけたっ！」といったのである。

Guessという名のくにがあると思ったのだ、この少年は。だいいち、そんなくにがあったってなくたって、彼にとってそれがどうだというのだ？　わたしがにほんというくにからきた、と正直にいったところで、彼にとってそれがどうだというのだ？

彼は商業英語をマスターしていたのだ。実地の訓練によって「すぐに役立つ実務英語」をマスターしていたのだ。

「ねえさんは○○のくにのひとだから」というのが、駆け引きの最終的パンチラインときまっているのだ。パターンがちゃんとあるわけで、フランスからきた、と答えれば、

「ねえさんは、フランスからきたんだから、特別に……」となるわけで、くにの名前のところが空白になっているパターンがあって、わたしがちゃんと予想通りに答えなかったことに気づかず、すかさず「あててみなのくに」と、それを空白にあてはめた。お見事。一本とられたのはわたし。「あててみなのくに」からきたわたしは五百ポンドでその白地に驚異的な刺繡があるベドウィンのドレスを買った。現金をちらつかせて、その肉体から剝ぎとるようにして買い取られたにちがいない白い長いドレスを。知らない指が熱い砂漠の昼下りの夢を縫いこんだ。知らない指が、こんな市場での観光客の紙幣でいとも簡単に買われることになるとも知らずに、気の遠くなるような時間をかけて、色糸で縫い取った。砂漠の風に乾ききった指は、この白い生地の上に血を流さなかっただろうか？「あててみなのくに」からきたわたしが一人の少年から買い取ったこのドレスは、すかしてみるとはっきりとしみが見える。料理をしながら、山羊の世話をしながらついたしみだろうか？ 働くときに、白いドレスを着るだろうか？

シナイ砂漠の砂丘いちめんに広げられたベドウィンの洗濯物のことを思う。物干し竿など使わずに砂地にじかに洗われた衣類を広げておく方法だ。地熱と太陽の熱を受けて、洗濯物はすぐ乾く。

からだも顔もすっかりおおった母親が大勢の子供となん頭かの山羊を引き連れて砂丘を降りて行く。陽は傾き、砂丘にいくつもの長い長い影を落として、一千年の昔の風景さながら、母子と山羊の一団が遠ざかる――。

知らない指のあるじのことを思う。

砂塵に目を細める女たちの夢と肉体がとても遠く、わたしが買ったドレスはやはりいまでも彼女たちのもので、ついにわたしのものになることはないだろうと思いながらも、縫い取られ縫いこまれた針仕事のうちに、わたしはメッセージを読み取ろうとするのだが――。

おれさまのバス

ガザを訪れたときのことだ。

テルアヴィヴからエゲッドのバスに乗った。エゲッドのバスは協同組合方式によって運営されている。運転手は出資者である。雇われ運転手は増加している、とも聞くが、基本は運転手は出資者である、ということだ。出資額の標準はバス半台分といわれている。それぞれの出資者はバスを半台所有しているわけだ。なぜあれほど運転手がいばり散らすのか、それでわかった。「おれさまのバス」だからだ。リチャード・ブローティガンの新作『バビロンを夢見て』には、素寒貧の主人公が、バスに乗ったはいいが、バビロンの白昼夢を見ているうちについに終点まで行ってしまい、さて、帰りのバス賃がない、運転手に事情を話して折り返すそのバスに乗せてもらおうとするが、きっぱりと断わられるというエピソードがある。そのとき運転手は、「おれのバスから降りろ」という。主人公は「おれの」という表現にムカッとする。だが、イスラエルなら、「おれの」という表現も正当というわけだ。

エゲッドのバスの運転手の中には驚くべき人種がいる。寒い冬の街路に、風にピューピュー吹かれて四十分も待っていた客を見たって、降りる客を降ろしたら、「急いでるんだ」といって扉を閉めてしまう。無理に若い兵士が二人飛び乗るようにして乗ったら、カンカンに怒って、おまえらが降りなきゃ動かない、といってエンジンを止めてしまった。バスの中はガラガラに空いている。だが、急いでいるから、誰も乗せられない、というのだ。またあるときは、のぼり坂になっている道を、片手に赤ん坊、片手にベビー・バギーをかかえて、ハーハーいって走ってきた一人の母親の眼のまえで扉を閉めて走り去った運転手も目撃した。

エゲッドの運転手といえば、アラブとの戦争のころは英雄だった。戦火をくぐって人を、情報を運んだのは彼らだった。一斉射撃や地雷で命を落とした運転手も多かった。エゲッドといえば、いまでも情報を運ぶ重要なネットワークである。ガザへのバス旅行についていいたかったのはそのことである。

テルアヴィヴを出たバスはしばらく高速道路を走っていたが、まもなく、ついと横にそれてふつうの道に入ってしまった。あれ、あれと思っているうちに、砂漠に灌漑して農地にした地帯に出た。ここが砂地だったとはとても信じられない緑の野が続く。奇蹟だ、という人々の気持もわかるような気がする。

その地帯に入ると、バスがやたらに停まる。一人二人と降りて、一人ぐらい乗ってくる。なぜかと思ったら、バスはこのあたりのキブツやモシャブのそれぞれの場所に全部停まるからだ。舗装のない道路をガタガタと行く。

そして、運転手は大わらわである。

あそこのキブツで停車したら、モシェの従兄のオフェルは、急に都合悪くなって、きょうはテルアヴィヴからはこられないことになった、と伝えなければならない。

それに——。

おっ、トラクターで向うからやってくるのはキブツMのナタンだ。あいつから映画のフィルムを返してもらってくれと、テルアヴィヴのシュムエルにいわれてるんだ。

(窓を開けて)

運転手　おーい、ナタン。このあいだの映画のフィルムはもう返すことになってるんじゃないか。ちょっともどって取ってこいよ。

ナタン　よっしゃ。じゃあ、あとでな。

という具合である。かと思うと、彼は新聞社からあずかってきた新聞の束もあちこちへバサリバサリと配達している。

キブツKに停車すると、キブツNに着いたら、合同演芸会は中止したいといってると伝えてくれと依頼された。

キブツNではハンナが、ヤミットのアリエルに、来週の誕生日のパーティにきなさい、と伝えてほしいとたのんだ。

こうして、情報を落とし、情報をひろいつつ、協同組合バスは行く。目ざすヤミットに着くと、もうすっかり夕方で、背の低い新興都市の建物たちが長い影を落としていた。まっすぐ行けば百キロほどの距離である。二時間余りで行ける。だがエゲッドのバスだと四時間半もかかる。それもしかたない。なにしろ、エゲッドのはただのバスじゃない。情報バスだ。しかも、忘れてはならない。エゲッドのバスは、バス半台を所有する出資者運転手の運転によって移動する「おれさま」のバスである。

建設班長

ヤミットは人工都市だ。自然に発生した都市ではなく、ガザの南のシナイ砂漠に建設された都市だ。いまも建設と誘致が続いている。そこはいうまでもなく、占領地区と呼ばれる地帯の一部である。陸軍基地があって、そこで働いている文民がヤミットの住民の半数を占める、ともいわれている。

ヤミットの町は垣根に囲われている。占領地区であるから警備についての考慮も必要だというわけで、それなら垣根で囲ってしまったほうがてっとり早い。垣根の金網には、しかし、そこらじゅう大きな穴が開いていて、子供たちがそこから出たり入ったりしている。

ヤミットのすぐそばは海辺だ。そこへ出るには、ベドウィンのテントが立ち並ぶあいだをぬけて行く。ヤミットの産業の一部として、観光事業開発が案にのぼっているが、となると、この海辺に寝起きするベドウィンの集団をどうするか。

風景としたって興味深いじゃないの、そのままいてもらえば？

ところが、においがすごい。

なんのにおいよ？

肥料のにおいだ。いまじゃベドウィンも野菜を栽培してるからね。そのための堆肥を作ってるんだ。

においぐらい、かまわないじゃないの。

いや、しかし、風が吹くとね……。

でも、その人たちはずっとこのあたりにいたわけだから、どいてもらうなんていうのもへんじゃないの？

そうなのさ。

わたしたちはアメリカ人の青年と話していた。彼はヤミットの新聞を出している。新聞はヘブライ語でイトンというので、ヤミットとそれをくっつけて、新聞の名は『ヤミトン』となった。彼はなにもないところに町を建てるのは楽しい、と語った。彼とその妻が引越してきたときは二十世帯しかいなくて、道も泥道だった。それがいまじゃ、二百八十世帯になったのだと。あなたは楽しいなんていうけど、こんなにエジプトに近い占領地区に町を「おっ建てる」ってのは、結局そこの住人を前哨警備の兵士がわりにすることじゃないのか、とたずねたら、そうだと思うと、彼は答えた。

『ヤミトン』紙の編集長として彼はわたしたちを案内してくれた。ヤミット開発の建設班長ともいうべき地位のアモスという男の事務所へ行ってみたのもそのときだった。

その事務所へ四人ほどでゾロゾロと入って行くと、一人の男が大きな机をまえに、大きなヤミットの地図を背にして坐っていた。それがアモスだった。この人々は見学のお客さんだ、と『ヤミトン』紙編集長がいうと、アモスは、たちまち滔々と喋りだした。「情宣」なんて言葉があるが、あれこそあっぱれな「情宣」精神だ。聞きもしない質問にどんどん答える。わたしはこの建設班長の大演説の内容はろくにおぼえていないが、それでも一つだけ記憶している。いや、その一つだけ記憶していることがらのせいで、ほかのことを全部忘れてしまったのかもしれない。彼はいった——。

「さて、わたしの考えをいえば、中近東の問題の核心は西と東の文明の衝突なのだ。水と油の思想がぶつかり合ってる。で、どうするか、ということだが、わたしは西か東かどちらかを選べといわれれば、迷わずに西を選ぶ。西の文明が東の文明よりすぐれているることに疑問の余地はない、と少なくともわたしは思う。で、その選択の正しさを示すにはどうすればよいか。答は、建設せよ！　である。建設せよ！　それによりイスラエルも発展する。アラブも発展する。そう、答は、建設せよ！　である。」

地図を説明するときに使われる細い棒があるが、東からきたわたしの目のすぐまえで、彼はその棒をふりまわしたり、突くような恰好をしたりして熱っぽくいうのだった。相反する文明の軋轢（あつれき）には建設をもって答えろ、とはいとも簡単で、ずいぶん露骨に傲慢になれるものだと啞然としながらも感心してしまった。

だが、なんともあやうい傲慢さではないか。この男が建設班長として建設を指揮している人工の都市は囲いに守られている都市だ。いってみれば括弧つきの都市だ。しばらく行けば、ガザの町があり、そこはエジプト国民であった人々が住む町だ。占領地区とは括弧つきの地域のことである。

そう、もしかしたら、この占領地区が合法的に国際的にイスラエル領となる日がくるのかもしれない。じゅうぶんにありうることだ。ただし、そのときイスラエルが同時にかかえこむことになる「東」をどうするのか？　括弧つきの建設班長の指揮で完成したヤミットにかぶされた括弧は暫定的なものであった、ということになるのだろうか？　それとも、永久に括弧を脱ぐことができないまま生きのびることになるのだろうか。「西の文明こそ」といっても、イスラエルの人口の六〇パーセントがすでに東の文明にはぐくまれたユダヤ人たちである。「西の文明」のブルドーザーがやがて東の文明を平らにならしてしまうと考えれば、それはおそろしい誤謬だ。矛盾はいつかは火山のように噴出する。西か東かという二元論で行ける、と考えるかぎり、この建設班長が体現している「西」は安住の地を見出すことはなく、すえながく括弧つきの存在であり続けることになるだろう。西洋の「出店」としてしみったれた暖簾（のれん）を守るのだ。

山岳の村

　山岳の村の人々はドルーズと呼ばれる集団だった。ドルーズは回教の異端派ともいうべき神秘主義の秘教のアラブ人である。マホメッドの教えの神秘主義的解釈において異論をとなえた一派が創設したといわれている。もとはシリアとレバノンで育ったセクトだった。この派の教義は完全に秘密にされていて、一般のドルーズ教徒はその内容を知らされず、世襲制度や階層や年齢などによって知識の質や量が異なるらしい。ドルーズの男性が頭に被っている被り物を見れば、彼がどのような地位にあるかわかるという。

　彼らが回教の本流と袂(たもと)を分って独立の宗派になっていらい、回教徒からはたいへんな迫害と差別を受けてきた。シリアやレバノンを逃れてパレスチナへ移ってきたドルーズの集団が現在イスラエルに住んでいる集団であるが、彼らは迫害を逃れるために山の上に住む習慣をもつようになったので、イスラエルでも彼らは山岳に村をおこして暮しているのである。

　ドルーズの集団はイスラエル独立戦争よりずっと以前からパレスチナに住んでいた。独立戦争のときはアラブ側を敵にまわしてイスラエルの兵士としてたたかった。

「もう長いことわたしたちはパレスチナに住んできた。人間が住む土地は人間の魂だ。その魂を奪おうとしたアラブ側はわれわれの敵だったのだ。われわれはわれわれを救うためにたたかったのだ」と彼らはいう。「イスラエルが独立したって、われわれはここに住み続けることができることは明白だったからね」

ドルーズの山頂の村ヤヌッフはハイファから車で九十分、そこへわたしたちを連れていってくれたのはガビ・ワルブルクだった。夫人のラヘルも一緒だった。この二人はキブツ・イエヒ・アムの創立メンバーだった。イエヒ・アムは独立戦争のときに六ヵ月も完全に包囲されていたキブツだった。このドルーズの村のアメール・ヨセフ・アメールはイエヒ・アムの警備係だったのである。キブツを離れた現在もガビたちはアメールを訪れる。

アメール・ヨセフ・アメールの家にいっても、会話はアラビア語だったので、わたしには内容はわからない。通訳してもらった分も切れ切れで、それをつなげてあれこれいってみてもはじまらない。ここではもっぱら、わたしの耳ではなく目が情報を得ようとした。

注意を惹かれたのは、彼らの生活の秩序だった。家族の成員の一人一人にきわめて明確に役割が与えられていて、他の役割を侵すことも、じぶんのそれをおこたることも許されていないように思えた。

わたしたちが到着したら、まず家族の男性全員が外に出てきて迎えてくれた。主人とその弟たちが、年齢の上の人から順に握手して。客間に通されると、まもなく、一番年の若い弟（二〇歳ぐらい）がオレンジ・ジュースとコーラを運んできてくれた。コップの数はその部屋にいる人数の倍ぐらい。その弟の腕にはタオルがかけてあって、ジュースを呑み終って口を拭きたそうにしている兄たちや客たちのところへ行って、タオルの掛かった腕を差し出して拭かせる。順ぐりに口を拭き終るまで、部屋の隅で待っている。

一同がジュースやコーラを呑み終ると、こんどはトルコ・コーヒーが運ばれた。やはり一番若い弟によって。四人の兄さんたちは椅子に腰かけて、ガビ夫妻と話していて、この弟ばかりが働いている。コーヒーのつぎに出てきたのは細くて長い、いくつもの枕だった。ああいうのはクッションとは呼ばないと思う。幅からいっても、形からいっても枕である。幅が三十センチぐらい、長さ一メートルぐらいで、それぞれ極彩色の人絹で、レースで縁取りした白いキャラコのカバーがかかっている。わたしたちが通された部屋には鉄製の寝台が二つあったので、この枕を渡されたときには、わたしは寝台に横になれ、という意味かとも思ったが、それは考えすぎだろう。枕を背にあてたり、肘を掛けたりして、らくにしてくれ、という意味だったろう。

窓から、もうすっかりあたたかい春の風が入ってくる。部屋の壁は地中海の水の色とおなじ、とても鮮やかなブルーに塗ってある。天井はこれまた鮮やかなオレンジ色だ。

「わあ、やっぱり中東にいるんだ」とわたしは思った。

枕をもらって、肘を掛けてみたり、膝の上においてみたりしているうちに、食事の盆が出はじめた。このときは末弟とそのつぎに若い弟がせっせと料理を運び入れる。手順も、誰がなにをするかも、全部数世紀をへた伝統の秩序としてきまっているようで、「お手伝いしましょうか」などと馬鹿げたことをいうわけにはいかない。外国人のひとりよがりの善意など、奇怪にして無用な異物として宙ぶらりんになるだけだろう。ただひたすら、そこで起こっていることがらの仕組みを理解しようとすればそれでいいのだ。

食事は焙り焼きの鶏、さまざまなサラダ、山羊乳のチーズなど。そして、パン。パンとはいうが、それは紙のように薄く、風呂敷のように大きい。事実、大きな盆にのせられてきたパンの山は、折りたたんだ風呂敷の山のようだった。これを開いて、少しずつ切り取っては、肉片を包んだり、ソースに浸したりして食べる。適度にやわらかく、塩味がきいていておいしい。厚さは新聞紙ほどといったらいいだろうか。色はきつね色。クローディア・ローデンの本にはこのパンのことはでていない。べつにドルーズに特有のパンというわけでなく、アラブのパンの一種で、マーケットでも買えるものだという。わたしたちがご馳走になったのは、その家のかまどで焼かれたものだった。まだ温かかった。

食事をしたのは客となって訪れた四人だけで、主人側はなにも食べない。全部きれいに食べてしまわなければいけないのか、適当に残すべきかとまよったが、中近東的な基準でいえば適当に残すべきだろう。全部きれいに平らげれば、「おまえさんがたが出してくれた食事の量は少ない」という意味になるのだろう。少し残して、「ああ、もうじゅうぶんいただきました。このように気前よく、多量の食物を出されて、なんともかたじけない」と表現するのではないだろうか？

食べていると、末弟が腕にタオルを掛けてまわってくるから、口元を拭かなくてはならない。彼はひどく厳粛な表情でまわって歩く。

さいごにふたたびすばらしいトルコ・コーヒーが出た。到着したときには中天にあった太陽も、そろそろ傾きかけて、壁のブルーの色も天井のオレンジ色にも、わずかに翳りが出てきた。

そこにすわってふんだんに呑み食いしていた数時間、わたしたちのまえにはついにこの一家の女性は姿をあらわさなかった。料理をしてくれたのも、料理を盛りつけ盆にのせてくれたのも、いうまでもなく、この家の女性たちだった。あのおいしい風呂敷パンを一枚一枚かまどで焼いてくれたのも。女たちは外来者のまえに姿をさらさないことになっている。だからけっして客間に入ってはこない。階下の台所から、およめさんたちは料理を運んでくるが、それを客間のまえで、客たちからは姿を見られないようにして、男たちに渡すのだ。

でも、彼女たちの姿はときどきちらりと見えてしまう。見えても見えないことにしておくのが、客たちの役目だろうし、見られても見られなかったことにしておくのが、その女性たちの役目なのだろう。「あらあ、見られちゃったわあ！」とさわいだりはしない。風のように、ほんとに音もなく廊下伝いにやってきて、ひらりと通りすぎてゆく。

彼女たちは黒いベールで顔全体を覆ってはいなかった。ドレスはやはり地中海色のブルーや、レモンの黄色や、半透明の布の白い長いスカーフを「真知子巻き」にしていた。ドレスはやはり地中海色のブルーや、あざやかなオレンジ色。脚をかくす細いパッチのようなスラックスをはいていて、それがネオンサインのようなピンクだったりする。

習わしどおり、わたしたち客人はその家の女性たちと顔を合わせることなく訪問を終えた。わたしがドルーズの女性だったら、いうまでもなく、男たちに混じって出かけていったりすることは許されない。よその者たちに対してはそのようなことを例外としてみとめてくれるからこそ同行できたわけだ。そのことを、当然だわ、などといわずに、わたしはなんとか適切に受けとめたいと思う。自分たちには自分たちの生きかたがあるが、他者のそれも尊重することはできるという態度のあらわれとして。

無論、それはそんなにおめでたいことではないのかもしれない。「二十世紀の歴史に取り残されている」というような意識を、知らぬ間にどこかから押しつけられて、ふと「進んだ者たち」に妥協してしまう、というようなことであるかもしれない。断定することはできない。わたしにはドルーズの人々は誇り高い伝統社会の集団と見え、外部の者たちに鷹揚に接したところで、自分たちの秩序にがたつきがくると感じることがないからこそ、悠々としているのだと思えたが、じっさいはもっと複雑なことであるかもしれないのだ。わたしは風のようにひらりと通りすぎる「真知子巻き」の女性と言葉をまじえることはおろか顔さえ合わせずにそこを辞さなければならなかった。それがやむをえないことであるかぎり、彼女たちについての判断はいっさい差し控えなければならない。垣間見た鮮やかなドレスやかくされた脚の記憶と彼女たちが用意してくれた食事の味を思い出すことのみを通して、わたしは彼女たちの心の輪郭をさぐろうとするのだが、それはとても無理である。かくして、わたしにとって山岳の村は、手さぐりすることもできない世界のシンボルになってしまった。

なぜヘブライ語だったのか

イスラエルについて語ることは重たい。

森崎和江さんはかつて「二つのことば・二つのこころ」という文章を、「朝鮮について語ることは重たい。」という言葉で書きはじめた。森崎さんが「重たい」ということの意味と、わたしが重たいということの意味はずい分というか、全くというかちがうのであるが、「朝鮮について語ることは重たい」という森崎さんのあの書き出しの言葉がわたしの心にはりついたように残ってしまっていて、いまこうしてイスラエルのことを書こうとすると、イスラエルについてを語るのは重たいとなってしまうのである。森崎さんは朝鮮で生まれ、彼女が朝鮮で生まれた事実がそのまま罪である思いのくらさは口外しえるものではないと書いた。背負ってくれたオモニとネエヤの髪がはりついているのに、その一すじの髪毛についての彼女のこころは、いまだに一度もことばになっていないと書いた。そして、表現しないのは、朝鮮人へ対するへつらいの態度で表現しないのではなく、表現法を失っているからだ、と書いた。ところが、その抑制とならんで、ぐずぐずしていたら朝鮮が駄目になるという思いが火花をだしている、没民族的万国共通のイデオロギーごときものに冒させてなるものかと、制禦(せいぎょ)がきかない、とも書いた。

「朝鮮人の全体験は、朝鮮の思想を生みだすべきであって分裂した政治国によって政治的存在にしたてあげられてはならぬ。二度と自己を外力で変型させてはならぬ。早く朝鮮人と出逢い、私の錯乱の箱を両者の手であけて共同工作せねばならない……。」

いうまでもなく、森崎さんが「重たい」というのと、わたしが「重たい」というのは体験的にもその思いつめかたも全く異なっている。彼女は朝鮮によって養われた女性だが、わたしはイスラエルには八ヵ月滞在しただけである。それにもかかわらず、わたしが重たいと感じるその理由には、彼女のいう重たさと重なる部分がある、という直観はあるのである。

イスラエルについて、わたしに語れることなどいまはまだなにもありはしない、と思う。と同時に、無器用にでも語っておかなければ駄目だ、ぐずぐずしていてはいけないのだという思いがあるのである。

森崎さんは、「まわりくどい論理、それが私だ」といった。「ちっともまわりくどくないストレートな心情なのに、ことばを媒体にしようとすればそうなってしまうのが私だ。」と。イスラエルについて語ろうとするとき、わたしもまわりくどくなる。それは、なんとかイスラエルならイスラエルを、その自らの論理において理解することができるか、という試験に関わることだからである。日本語のもつ固有の意味合いに足をすくわれたくない、あるいはよりかからずに、他者を語ることができるかどうか。森崎さんはいった。

私には「私」という時空が、重なったふたつの民族色として表示されます。保身のためのこじつけではありません。もともと「私」という用語は個体の歴史を総体的に表示する機能をもっています。そのために自他の個体史を峻別せんとする凝縮的な自己運動をする側面と、自他の個体史のかさなりあった部分つまり不特定多数の他者をつつみこまねば語としてのいみをなさぬ外延的な自己運動をもつ側面とが拮抗しています。ふつうに、話しことばとして使われるとき「私」は、その後者の機能をことばの表層にしています。そして個体が内包しているくらしの上での責任の範囲をばくぜんと指示しています。

私は敗戦後日本に来まして、日本の民衆のくらしがその後者の機能を軸としたところの「私」を自分のことばとしていることを知りました。

日本語の「私」がそのような傾斜をもつものであれば、その「私」は体験の共通性共有性を表す言葉となるのだと。そういう世界はそれなりの豊さをもっている。歴史的にも社会的にも他から隔絶した存在でありえない人間というものの条件を、「私」という言葉に背負わせているのだから。

ところが、その個的であり同時に不特定多数的であるところの「私」は、わたしたちが他者と向き合うとき、他者をもその不特定多数にのみこんでしまおうとする力を発揮するようなのである。

イスラエルについて語ることは重たい、というのは、そのこととも関連している。森崎さんが朝鮮から日本へきたとき、九州の人々は「帰った」という表現に疑問をもつことはなかった。彼らにしてみれば、彼女が「日本人」であることに疑問の余地はなく、それなら「帰った」というのが当然であった。植民地政策があったからこそ在鮮日系二世になった一人の少女にはちがいなかったが、その少女が朝鮮に養われることにより、内地日本人とは異なる精神世界をもつことができるようになったかもしれない、という可能性に思いをいたらす者はなかった。「おくにはどちらですか」とたずね合うわたしたちの習慣は、「郷里そのものの所在をたずねることよりも、社会生活の意識と二重になってつづいているはずの日常生活のこころが所属している空間を表明しあっているのだ」と森崎さんは書いた。さらに「私にはその世の中像が欠落していたから、日本にきて人々がにっこりと出迎えてくれる厚かましさがまったく理解できなかった。人々は土民としか呼びようがないなまなましさで私を呑みこむのだったから。まるきり、くらしの股をひろげている感じで、自分の思惟様式をおしつけてくるのであって、それが彼らの生活生態だった」とも書いた。

同族として相手を抱きこむことは、わたしたちはよくできる。呑みこんでしまうことはできる。異なる時空に養われた森崎さんの、なまなましく抱きこもうとする衝動とのたたかいが、やがて筑豊の「異族」である炭坑労働者のくらしの時空とその精神世界に彼女を導いた。「異族」である沖縄の人々、与論島の人々へと、彼女を導いた。『からゆきさん』もそうだった。朝鮮を異族として認め、理解することはできないのか、と彼女はわたしたちに問い続けてきた。「差別」などという手軽なあいまいな言葉の次元を出て、他者に他者の正当なる顔を与えよと。それは朝鮮に対する「同化政策」の本態を、日本にきてより明確に理解したことが、きっかけになっていた。

他者に他者の正当なる顔を与えること。イスラエルについても、それがいえるとわたしは思う。けれども、それができるだろうか。できなければ、いままでにすでに何人かの人々がしてきたことを繰り返すだけだ。わたしたちの思惟世界から一歩も出ることなく、わたしたちの民族語がもち合わせる属性をベタベタと他者の歴史にはりつけることですませるという、いつものやりかただ。あたかも他者はこちらの思弁の便利のためにあるといわんばかりに。わたしたちはやさしさに満ちて、抱きかかえることはできる。でも抱きかかえた相手には顔がなく、だから、わたしたちの集団的な意識に変化が起こることもない。あたたかい懐へ取りこんでくるだけだから、出会いなどというものもない。そのようにわたしたちのやさしさは一方的だ。だから、やさしさが嫌悪や怒りに変ってても、やっぱり一方的なのだ。

わたしがイスラエルへいったのは、イスラエルについて報告を書くためではなかった。わたしの旅の目的はヘブライ語を習うことだった。もうたいして若くもないのに、新しい言葉を習うことができるかどうか、確信もなかった。語学にとくにすぐれた人というのはいるけれど、わたしはそうではない。なんども繰り返し習って、やっと覚えるというたちだ。で、ヘブライ語を習わなければならないと思った理由はなんだっただろうか？

ヘブライ語とはユダヤ人とユダヤ主義の言語である。日常の話し言葉として使われなくなったのは、おそらくギリシャ・ローマ時代だろう。ペルシャ時代後期には、もうアラム語で話していたのではないか。第二神殿時代の終り近く（第二神殿のローマによる破壊は七二年）に書かれたものらしいとされている「死海写本」の言語は、聖書ヘブライ語とアラム語と方言のヘブライ語であるが、話し言葉としては、当時のユダヤ人はアラム語か、教育のある者はギリシャ語を話していたらしい。ユダヤ人であったイエスが磔（はりつけ）になったとき、「神よ、なぜあなたはわたしを見捨てたのですか」といったが、あれはヘブライ語ではなくアラム語だった。けれども、ヘブライ語が死語になったことは一度もなかった。ユダヤ主義学問の言語として（ということは、ヘブライ語の原典を学んだ、ということだけでなく、学問の言語そのものもヘブライ語だったという意味である）、聖書の言語として、祈禱の言語として生き続けてきた。（離散後も異なる国からきた者どうしが出会ったり、貿易したりするときは、つねにヘブライ語がつかわれたともいわれている。）その事実の重要さを過小評価してはならない。聖書の言語か、ああ、祈禱の言語か、つまり宗教の言語か、とわたしたちが日本語でいってしまったその瞬間、わたしたちはユダヤ人とヘブライ語の真の関係から遠ざかる。日本語の「聖書」、「祈禱」、「宗教」という言葉をヘブライ語にはりつけることによって、ヘブライ語はそれらの日本語によってくくられ、わたしたちの手中におさまることになる。単純化され矮小化されて。だが、それは日本語が貧しいとか、日本語の背景にある歴史が貧しいとか、そんなことではない。これらの言葉では、わたしたちの文化や歴史についても、けっして正確に語ることはできない、ということである。わたしたちがわたしたち自身について語るにしても、その目的にかなった言語がかならずある、という保証など全然ないのだから。無謬の日常語で語りえないことがあるのだ。

ヘブライ語は、ヘブライ語で書かれた書物は、ユダヤ人の世界観そのものをあらわす言語として、死ぬことなくあり続けた。ユダヤ主義は信仰というパウロの造語である神学概念ではとらえることはできない。ユダヤ主義は人間が完全に超越的な存在を想定し、しかもその存在が要求する超越的な価値を受け入れることができるか、それを信じることではなく、生きることができるか、という歴史の実験としてあるように思う。聖書には、とてもほどくことのできないような矛盾があるが、口伝律法として「トーラー」を伝え、やがてそれを書きとめることにした民族は、その矛盾を支えることができたのだった。そしてその容器となった言語はヘブライ語だった。いまでもそうである。

新潮社の『新潮世界文学辞典』の関根正雄氏による「聖書」の項目によれば、聖書はキリスト教の経典で、旧約と新約があり、「旧約聖書は前一二世紀頃から前二世紀中葉頃までの長期にわたってイスラエル民族の生み出した記録」となっている。で、旧約はイスラエル民族が生み出したが、（最初の部分に戻って）「キリスト教」の経典である、というのである。ユダヤ人は旧約とかを彼らの経典としてキリスト教徒に渡して、そのままどこかへ消えていってしまったように読める。いわゆる「旧約」とかも、ヘブライ語の原典の順序によらず、なぜか翻訳版（それが最古であろうとなかろうと）の、「七十人訳」と呼ばれるギリシャ語訳を規準にして解説している。これはキリスト教徒の立場に他ならない。西欧のキリスト教徒たちだって、ずっとこんなふうな語り口で二千年やり通してきたのだから、関根氏のこのような語り口にも歴史と伝統があるわけだ。近代になってからは、「ユダヤ・キリスト教主義を基礎にする」とひとまとめにいってしまい、やはりたいした相違などないのだとする傲慢さと、ひとまとめにしてやる寛容さで誤魔化し続けてきた。それでも、そのひとまとめ的表現の裏には、「かつて、太古にあったものが、発展的に解消された」という前提がかくされていて、キリスト教誕生以降の世界史はキリスト教史となるのである。ユダヤ主義がまったく異なる脈絡で、独自の道を歩み続けたことはどうでもいいことになるし、キリスト教誕生以後の二千年もユダヤ主義学問からたえず借用し続けてきたことも語られることはない。そうした姿勢がはるかなるにほん国の日本語においてさえ、すでに日常化されてしまっているのである。この立場は、「漢字」とは「日本人が使う文字。もともとは中国人が創造した」といってしまうようなことに似ている。それほどの知的暴力と厚かましさに支えられている立場である。

ヘブライ語は聖典の言葉としてシナゴーグだけで生き続けてきた言葉ではなかった。ラインラントで発生し、東ヨーロッパやロシアに広がっていったイディッシュ語は、ドイツ語の文法に拠っているが、表記はヘブライ語のアルファベットを使っている。そればかりではない。もともとヘブライ語の言葉であったものが発音の変化を伴いながらもじつに多く取り入れられている。まるでドイツ語とヘブライ語の私生児のようなのがイディッシュ語である。だから、ヘブライ語は日常の話し言葉としては死んだ、ということさえ厳密には正確な発言ではないのである。ユダヤ主義学問の学者たちはヘブライ語で執筆することをやめはしなかった。近世になって、ヘブライ語の文学も生まれた。はじまりは十七世紀とする説と、十八世紀とする説の二つがあるが、いずれにしろイスラエルで国語となるはるか昔に、世俗の文学の言語として使われることになったのであった。十九世紀にはアメリカでさえ、ヘブライ語文学運動が起こった。

ヘブライ語はイスラエルに住んでいるのではない、いわゆる「離散」のユダヤ人にとって、今日でもなお彼らの精神宇宙を抱いている言語である。アメリカ生まれのユダヤ人の女性作家シンシア・オージックは、「言語は一定の観念を表現することはできるが、あらゆる観念を表現できるわけではない。わたしが英語で書いたこの物語（『横領者』）は、もともと英語という容器には入れることのできない世界であった。それはべつの世界に属することがらだった」と書いたが、彼女がいおうとしていることもそういうことだった。けれども、いま、世界は「普遍」をもっとも重大な価値と考えよとあらゆる者に迫るので、こういう発言はいつも敵意をもって迎えられる。

なぜ、わたしはヘブライ語を習うことにしたか。わたしが個人としてユダヤ人やユダヤ主義の思想に触れ、それについてある一定の責任を引き受けようとしたこともむろんある。ヘブライ語を習おうとしたことはそのことの一部であったことはまちがいない。ある責任を自分に課そうとしたことは、わたしには気持だとか口でなにをいうかということではなく、なにをするかということだと思えたから、ヘブライ語がすでに生命を失った言語だというふりをして素通りすることはできなかった。けれども、その行為を個人的な行きがかりや動機だけで説明しようとするのは、わたしにはあまり役に立つことだとは思えない。個人的な出会いや行きがかりが行動の動機であることはいくらでもあるけれど、それを説明することによって、すべてが個人の、めずらしい行動として諒解されてしまうことはつまらないし、不毛だと思う。わたしが意識しようとしまいと、ここには歴史的な力が働いていると、わたしは考えている。だから、個人にすべてを帰納してしまうのはどこかちがうぞ、という気がしてならない。森崎さんはやはり「二つのことば・二つのこころ」の中で、「――私はこんなふうに、私が単独で朝鮮（あるいは日本）について語ることを好まぬ。この方法の無力さをやぶらぬかぎり日本はその民族語のもつ地方性をこえることはできない。思想の部分的表現に終止する。思考用語が内包しまた指示するものに対する意識性を高揚することさえできない……」と書いた。わたしはその通りだと思う。それでも、こうして書こうとしている。わたしという単独の人間の行動の軌跡を、わたしは後生大事に守りたくない。じつはそれはどうでもいいと思う。文章を書くにしても、自分の名を被せることだっていらない、と思う。重要なのは、それがわずかでも広がりをもつことができるかどうかということだけである。特殊性を掘らずに、ことを一般化しようというわけではない。特殊性にこだわり、そこに沈んでゆくことで固い具体性を手に入れたいが、その具体性が孤立させられ個におしこめられてしまうだけではつまらないと感じるのだ。

森崎さん、森崎さんとばかりいっているが、森崎さんの仕事を抜きにして、わたしはヘブライ語のことを書くことができないのである。デイヴィッド・グッドマンと津野海太郎や山元清多や及部克人とわたしなどがはじめた『コンサーンド・シアター・ジャパン』という、68／71の活動の一端を担う英文の季刊誌があった。わたしたちはいまだにそれを廃刊したとはいっておらず、無期休刊になっているだけだ。それは一応演劇の季刊誌ということになっているが、当然一見演劇とは直接関係ないかに見えるテーマもあつかってきた。休刊にする前の最後の号は特集で、特集のタイトルはDiscriminationであった。タイトルの意味には狭義の「差別」でなく、語の本来の意味、「差違を識別する」という意味を背負わせて、「これなに？　電話帳かい？」といわれることになった大冊を作ってしまった。

その号ではわたしも書けということになって、そのわたしの基本的な方向を支えていたのが、森崎さんの著書で、とりわけ『ははのくにとの幻想婚』と『まっくら』と『異族の原基』が重要だった。（一九七二年のことで、『匪賊の笛』や『奈落の神々』は未刊だった。）彼女は「他者」の意識の重要性を書いていた。「日本民衆の気の毒さは、自他対立の概念をくらしのこころの一つの要素としてもつことができなかったことである。さらにまた同化の原理を目的意識的につかうことのできる階層を、同じ生活体の指導者としてもっていたことだ」と書いていた。

そして――

今日の私たち民衆を閉ざしているものは、私たち民衆の民族的伝統である。

わたしはその雑誌の特集号のために、日本と朝鮮のことを中心に、日本的な差別を性格づける民族的な精神の背景を考えなければならないことになっていた。そこで、わたしはまさしくわたしたちを閉じこめようとするわたしたちの集団の論理、共同体の感覚について理解しなければならないところへ追い込まれていた。漠然とした、人道主義的憤りや、「帝国主義」の悪、「資本主義」の悪という一般化された悪では、とうてい日本人と呼ばれる集団が通りぬけて行った歴史の道程をわかることはできないと思った。そのとき、森崎さんの仕事の軸になっていたもの——わたしたちを閉ざすものとしてあるわたしたちの民族伝統と並列して存在する、異質の集団原理、異質の集団意識をもつ共同体の発見と、それらの共同体をわたしたちの思考の「素材」としてしまうことなく、それらにそれらの正当なる顔を認め、対決すること——が、わたしがわたしたちの歴史を理解することへの鍵になった。そして森崎さんの仕事を通して、わたしは炭鉱労働に従事した者たちが地上のそれとは異なる世界をだいていることを知り、朝鮮の日常の思想性には、唯一最高で禁忌的対象となるような、「天皇」のような存在、物神化された存在の傾向がないことを学び、与論島の人々が、沖縄の人々が、異族として異なる思想の体系を生きる者たちとして在ることを理解するようになった。それら異族の思想は辺境の、地方性のものとしてあるのではなく、日本人の正統的共同体意識に対峙するものとしてある。日本の正統的共同体意識とは、これら対立的な意識を異族の意識とはみなさず、同族集団内の異質としてしか考えることができない。異質とは、しかも、「欠落」のことではないか？　「天皇」の観念を可能にするところの、日本の正統的共同体意識は、「異なる」ことを「欠落」として眺めるから、日本的定着民の外にある民族と真に出会うことができない。

わたしは特集号に朝鮮のことを書くはずだった。最終的には、書くには書いた。けれども、その文章をわたしはユダヤ人のことから書きはじめなければならなかった。それは朝日新聞社が主催した「アウシュヴィッツ展」という展覧会のことだった。「アウシュヴィッツ展」について書かなければならないと思ったわたしをつき動かしていたのは、森崎さんの語ろうとする筑豊であり、朝鮮であり、沖縄だった。それから、エリ・ヴィーゼルの『死者の歌』と、アイザック・シンガーの『短かい金曜日』だった。わたしはなぜ森崎さんの文章からいくつか選んで、それを英訳して『コンサーンド・シアター・ジャパン』にのせることにしたのか、編集人の立場から書くことにもなっていた。それを可能にしたのは、ヴィーゼルとシンガーの物語でもあったし、「アウシュヴィッツ展」に対するわたしの反応をあらかじめ準備したのもこの二人の作家と森崎さんだった。わたしは『朝鮮人強制連行の記録』を読みつつ「アウシュヴィッツ展」のことを考え、「アウシュヴィッツ展」を観て強制連行のこと、日本の炭鉱で死んだ朝鮮人鉱夫のことを考えた。ベトナムではソンミの殺戮があり、ナパーム弾の雨が子供たちの裸体を焼いていた。わたしはわたしたちの怒りの弱々しさ、底の浅さ、傲慢さについて考えていた。わたしは人間が人間に対してこれまでに行なってきた残虐行為の詳細な内容を知ることでは、もはやわたしたちの思想を力強いものにすることはできないと感じた。ベトナムの戦場を映すカラーTVのニュース番組や『ライフ』誌の生々しいといわれる報道写真を見ながら、わたしたちは茶の間でゴハンを食べていた。残虐、血、殺戮、死は茶の間でも日常茶飯事となり、わたしたちの感覚はしびれきって、持続しない、もろい「一般的な怒りの気持」としてあるだけで、結晶しない。正義の言葉のように思える言葉の一つ一つは、歴史に汚され、いやしめられ、萎えている。言語の貧困は思想の貧困を丸出しにしている、と思った。

「アウシュヴィッツ展」は朝日新聞社がポーランド政府の協力を得て、高島屋だったか、白木屋だったか、ともかく日本橋のデパートの最上階の展覧会場を使って開いたものだった。ガス室で死んだユダヤ人の数がグラフになって示されていたり、「ユダヤ人のつけたバッジ」や収容所の建物や、ガス室や収容されていたユダヤ人、そういう、「アウシュヴィッツ」といえばいつもほとんど機械的に出てくる写真が大きなパネルになって壁から下っていた。ガラスの陳列ケースには、収容されていた人々が残していった衣類や靴や義歯、義肢、そして髭剃りブラシ、歯ブラシなどが山盛りになって展示されていた。片隅には木製の二段ベッドもあって、リアリズムの演出だった。女たちの髪の毛を集めて織った、薄茶色の布もあった。縞の、ゴツゴツした木綿の収容所の制服もあって、それにはおびただしい繕いのあとがあって、おそらくそれが数十人のからだを次々に包んだものだろうことを語っていた。すっかりいたんだ子供の靴。女たちの靴。

会場は混雑していて、人々は押し合いへし合いして、食い入るようにじっとこれらの物を見ていた。目をそらすこともない。

壁に掛けられた写真のパネルとパネルの間に、番号をふられた文字のパネルがあって、それは主催者がこの展示会用に準備した解説だった。それを1から順に最後まで読めば、「アウシュヴィッツ」の、そしてこの展示会の意味がわかる、ということだったのだ。主催者の意見によれば、「長年ヨーロッパで偏見の対象となっていたユダヤ人が、……ヒットラー政権のいまわしき残忍さにより殺された」のだが、その場所が「アウシュヴィッツ収容所」だったというわけだが、あちこちに「狂気」というような言葉が散りばめてある。パネルに書きつけられた言葉は、すでにわたしたちが幾度もお目にかかってきた陳腐な、一般化された常套句ばかりだった。それがこの展示会の枠となっていた。

この枠が、サイクロンBの透明なガスを吸いこんで息を引きとった人々の遺品や写真を支える文脈だった。主催者が設けたその空間に、死者のこん跡が山と積まれ、あるいは宙づりになっていた。あれだけの義肢が残ったということは、殺されていった人々の数の天文学的な大きさを示してはいたが、それはそれだけのことで、死者が残していった物が語りえたかもしれないなにかは弱々しく散漫なものにおとしめられていた。最後の文字パネルには、結びの言葉として、「戦争は悪である。おそろしいものである。われわれはこの展示会が、われわれの平和への願いを再確認するものであることを祈る」というようなことが記されていた。なんだ、こんなことか、こんなことをいうために、朝日新聞はポーランドから大きな二段ベッドまで含めた死者の遺品を、後生大事に輸送したのか。戦争は悪く、おそろしい、だなんて、そんな「一般的な正しさ」の発言をするために、死んでいった子供たちの靴を、ガラスのケースに入れて特別の照明をあてて見せる必要があるのだろうか？　そんなことをいうためなら、すでにあり余るほどのベトナムの報道写真もあったし、カラーのTVニュースも毎日あった。「平和への願いを確認」だなんて、むなしい。自分の平和への願いを確認するために、他者の死を利用するのか、わたしたちは？　すでに殺され傷つけられた無数の肉体を前にして、感覚をしびれさせてしまっているわたしたち、それがわたしたちの文脈である。それを超える道を見つけ出さないかぎり、百万の、千万の写真パネルも無駄である。

それとも、あの展示会はわたしたちの中の倒錯者的部分を露わにするためのものだったのか。食い入るように見つめることのできるあれらの目に供えられて？　そういえば、デパートは消費の殿堂である。消費の殿堂の展示会も、おそらくそこから完全に自由になることはできない。消費される「平和への願い」、消費される他人の死のこん跡。地球を半分もめぐって引きずられてきた死者の寝台が、すでに手垢のついた普遍的正しさを証明する！　手垢のついたそれは、しかしなお無傷である。抗議することもできない、見ず知らずの死者の遺品を、わたしたちは平気でもてあそんだ。わたしたちは死者への礼儀もわきまえない者なのか。猥褻とは、そういうことをいう。

死者の数の膨大さ、死の無惨さ、蛍光灯に照らされ、山と積まれた歯ブラシから、わたしたちはもうなにも学べはしない。歯ブラシにその持主について語らせる力を与えてやらないかぎり。歯ブラシが殺人を犯したのではないのだ。歯ブラシには諒解ずみの表現力はない。無惨な死そのものに諒解ずみの表現力が、わたしたちを衝き動かす力があるといえるほど、わたしたちの手はきれいではない。アジアを蹂躙したわたしたちの手は。

あの展示会のおそろしさは、死者の遺品をいじくりまわしても、死者に正当な顔を与えることなど思いもよらなかったその思想にある。死者のアイデンティティについては、どこでひろってきたのか知らないが、無窮の空のごとく変らない、不正確な理解ですませている。「長年ヨーロッパで偏見の対象となって憎まれていたユダヤ人が……」（あのアイヒマンだって、ユダヤ人を個人的に嫌ったり憎んだりしたことはない、仕事をしただけだといったではないか！）これが、これだけが、犠牲者に与えられた顔である。その彼らは、二元的な視点の中で弱者の役割を演じるようにキャスティングされて、その役に閉じこもることしか許されていない。その彼らの歯ブラシやみじめな衣類が、他者から意味を与えてもらうために置かれている。命を落とした人間の影を消すことで成り立つ啓蒙には、どのような実用的意義があるのだろうか。

犠牲者不在（そう、結局彼らはべつの誰かだってよかったのだから）のこのような啓蒙の試みは、ただひたすらわたしたちの身勝手な同情心をかき立てるだけで、わたしたちはふたたびみごとに無傷だ。

「アウシュヴィッツ展」があらわしていたものは、みごとに日本と朝鮮の関係に重なっていた。侵略者としてしか海を越えたことのないわたしたちは、「強制連行の記録」や関東大震災の残虐については書きもし読みもするが、たとえば、電車の中で朝鮮語の子供の教科書を開いている森崎さんに向って、「なぜ朝鮮語の勉強をなさるのですか。どうせやるなら中国語がよくはありませんか」といって平気でいたり、こまかな横書きの朝鮮語を見て、「ネパールあたりの文字ですか」とたずね、それが朝鮮の文字だと知って、「へえ朝鮮……。朝鮮に字があるのですか」と驚いたりするような者たちなのだ。

朝鮮人を犠牲者の役割の枠に閉じこめておくことで、わたしたちの断罪はすんだとでもいうように。

「ユダヤ・キリスト教主義を土台にしたヨーロッパ文化が……」というような表現がいかにいんちきなものであるか、ユダヤ主義の文化は「ユダヤ・キリスト教の」と一括してしまうことのけっしてできない異質の構造をもち、ユダヤ人はヨーロッパ史における異族であることに気がつくと、わたしはその彼らの正当なる異族性を知ることが、やがて、わたしが朝鮮に感じていたわたしたちの不能な、息づまるだめさを開くことにつながってくれるのではないかと、ひそかに思ったのだ。ユダヤ人を偏見や差別の犠牲者としてその枠に閉じこめ（すると、偏見や差別は一般的な悪として、結局は手つかずに残る）、その負の歴史が彼らの特殊性をどう形成したかを理解したり（あるいは感動したり）することだけからは、この巨大な異族の全体像はとうてい浮かんでこないと思った。ユダヤ人の負の歴史はさんざん美化され利用され、ユダヤ人の歴史の実体からはすでに遊離してしまった。「ユダヤ人とは、他の人々が、ユダヤ人と考えている人間である。」これが、単純な真理であり、ここから出発すべきなのである」し、「ユダヤ人を創造したのは、ユダヤ人の同化作用を停止させたキリスト教徒であるといっても決していいすぎではない」という愚かしい暴言を吐いたのはサルトルだった。彼はユダヤ人という歴史的共同体はない、分散が彼らの共同体に、歴史的過去をもつことを禁じた、といった。彼はユダヤ人の歴史とそのアイデンティティを一刀のもとにユダヤ人から切り落とした。彼のやさしい良心がそうした。彼の公正な良心が、ユダヤ人は彼らをユダヤ人として取扱うどこかの共同体の中に生きているからこそ、ユダヤ人である、といった。彼の進歩的なペンは、反ユダヤ主義がなくなれば、ユダヤ人もいなくなる、と書いていた。これほど反ユダヤ的な立場を、わたしは知らない。彼は歴史的共同体とは、第一に国家的であるから、ユダヤ人は歴史的ではない、彼らにはいいつたえの智恵があっても、歴史はないと書いて平然としていた。ユダヤ人にはユダヤ的共同作品も、独自の文明も、共通の神秘主義もないから、彼ら（サルトルたち）の歴史が彼ら（ユダヤ人ら）の歴史を受け入れたら一番いいのにと発言していたのである。だから、彼の反ユダヤ主義に対する攻撃もユダヤ人擁護もユダヤ人解釈も、自慰的なものにすぎない。彼はあの『ユダヤ人』の終りのほうで、ユダヤ人の正統性は、自己をユダヤ人として選ぶことにあり、呪われた歴史的存在としての自己を、歴史の中に求めることだと、親切にも忠告していた。そして、「われわれは彼等に、自分をユダヤ人と考えることを強制したのである」と告白し、「反ユダヤ主義を絶滅するためにも、社会主義革命が必要であり、且つそれで充分であること以外のなにも示していない。われわれが革命を行うのは、ユダヤ人のためでもある」と。そして、反ユダヤ主義は、ユダヤ人の問題ではなく、われわれ（サルトルら）の問題だと結んでいた。なんのことはない、そこではユダヤ人は思弁のだしに利用されただけだった。こんな本をまじめな顔で読んでいたことがあるのだから、恥ずかしい。

サルトルのことなど、ほんとうはどうでもいいのに長々と書いたのは、サルトルの発想の出発点の誤りが、なにも彼一人に限ったものではないと思うからだ。ユダヤ人とはユダヤ人問題だと考えてすませる傲慢と不幸は、わたしたちだって豊富にもちあわせている。（朝鮮人というと、「朝鮮人問題」のことだと考えて平然としているのは、わたしたちだ。）

ユダヤ人を異族たらしめているのは、偏見でも差別でもなく、彼らの歴史と思想である。ユダヤ人とは彼らの負のアイデンティティのことをいうのではなく、正のそれをいうのである。ユダヤ人はかしこいとか、普遍的な兄弟愛がゆたかだとか、そんな真空的な評価を指すのではない。彼らがその異族性を歴史の文脈において支えてきた、そのプロセスそのものを指すのである。「離散」が彼らのアイデンティティではなく、「離散」における生の軌跡が、その創造が、彼らのアイデンティティである。

そのことは、わたしたち日本人の他者に対する関係の結びかたと直接につながっている。アジアを凌辱することでしか関係をもつことのできなかったわたしたちが、アジアの民族がたどらされた負の歴史で彼らを計ることはあまりにも容易な罠としてある。朝鮮のことも、沖縄のことも、彼らの固有性を蹂躙された歴史がうんだひずみとして考えてしまうのだ。ふたたびあやまちを犯さぬためにといいつつ、他者をこちらの思弁の材料にしてしまう。差別がなくなれば、日本列島の在日朝鮮人問題はなくなり、すると朝鮮人もいなくなる、というようなサルトル流の奇怪な論理に乗って平気でいることのできる素質を、わたしたちは充分にそなえていると思うのだ。他者とのまじわりといえば同化しか思い浮かばない貧しさを、どこかで打ち破りたいのだ。天皇を頂点としうるところの同族意識をひそませつつ在ることのできるわたしたちは、その延長として、没民族的な万国普遍のイデオロギーもらくらくと手にすることができる。いつまでたっても、わたしたちは他者にその正当なる顔を認めることを潔しとせず、わたしたちの具象の、抽象の両世界を、他者の見えない顔の上に塗りつけ重ねていることになる。

ヨーロッパ文明と一まとめにして呼ばれるものの中に異族の確固たる、べつの流れがあることを認めたとき、わたしの中には、それまで西洋の<u>もの</u>として受け取ってきたさまざまな思想に、それぞれ正統な歴史の場を返してやらなければならない必要が生まれた。一度、じぶんが馴れ馴れしくしてきたものから身を引き離さなければならないと感じた。引き離すナイフはヘブライ語であると、わたしのあまり頼りにはならない直観がいった。

　イスラエルへゆく途中、わたしは香港とタイに寄った。はじめてのそのアジア旅行は、息苦しいものだった。香港では中国語も喋れない日本人であり、タイではタイ語を喋れない日本人だった。ふつう日本で振舞うように振舞ったのではまるで見当はずれなのだよ、この人々は、わたしの知らない文化の人々だから、自分の文化が教えてくれたことをそのまま通用すると考えてはいけないのだよ、わたしの国はこれらの人々の国を侵略することでしか「共栄」を発想できなかったのだ、国境を越えて、というときはいつだってこちらの欲望を押しつけることでしかできなかった国なのだ、わたしはその国の国民の一人なのだ、人間と人間として出会うなどというには、記憶は暗すぎると、そういう思いばかりで、わたしはからだを固くしていた。ダグラス・ラミスは「日本人は英語を第三世界の民衆との対話に使え」とわたしたちに忠告してくれたが、わたしには英語という言語にそのような力があるとは思えなかった。英語は英語圏世界の歴史の影を背負っているし、それだけではなく、英語で表現できる世界もはっきりと限定されている。ラミスのいうことは、とりあえず、ということかもしれないが、わたしにはとりあえずということでは、わたしの貧困は改善されることはないと感じた。手や足を動かすにも、わたしはきっとまちがっているという気がして、バンコックからパタヤという海岸へ向うバスの中でも、あってはいけないところにじぶんのからだがある、というふうに恐しかった。バンコックの中央郵便局に東京に送る翻訳の校正刷りを出しに行ったときも、バスに乗って料金を払おうとしたら、筒のようなものをもって料金を集めてまわる少年が、どうしてもわたしから料金を受け取らない。少年とわたしのあいだには共通の言語がなかったから、二人は身振りで、払いたい、いや受け取れないと押し問答し、ついにわたしが負けた。日本人の金なんか受け取れるか、という意味ではないかと思った。乗ったかと思うともう終点で、そこが郵便局にもっとも近い停留所だった。バスを降りると、停留所の前にベンチがあって、そこにバス会社の女性らしい人がいて、少年から筒に集めた料金を受け取っていた。わたしはその女性のところへいって、しかたがないので英語で、バスの料金をまだ払っていないから、払いたいのです、といった。どこから乗ったか、とたずねられたので、どこどこと答えると、それじゃ一停留所分しか乗っていないから、料金は払わないでいい、受け取れない、という答が返ってきた。いらない、というのだ。日本人の金なんか、というわけでもなさそうだったが、なんだか不思議で、わたしは郵便局のほうへふわりふわりと足を運んだのだ。

バンコックを夜発ってボンベイに着くともう朝で、インド人がたくさん乗ってきた。次のテヘランに着くと、イスラエルのユダヤ人やアラブ人が乗り込んできて、機内の人種はもう東南アジア的でなくなり、近東的になった。わたしは香港とタイでの息苦しさについて考えていた。香港はイギリス領で植民地だから、息苦しさの感じもタイとは全然ちがう。しかし、そこにある生活はまさしく中国人の生活で、でたらめにバスに乗ってバスに身をまかせていれば、ゆき着く先はいつだって中国人のスラムか、あるいは新しい大団地である。ある昼下り、やはりあてずっぽうにバスに乗ったら、そのバスはずっと町はずれまで走り続け、終点だといわれて降りたところは、海沿いのスラムだった。テレビの修繕をする二坪ほどの小さな電気屋の店先に、横に倒したテレビに映った横倒しの画像を、首をかしげるようにしてじっと見つめている老婆の姿があった。「京劇」を観にゆくのだと、またべつのバスに乗ったら、それも町はずれの終点までわたしたちを運び、降りてみたら大きな団地のかたわらに遊園地のようなところがあって、入場券を買って入ると、劇場の小屋が八つもずらりと並んでいたのだ。芝居の小屋は「京劇」だけで、あとは全部流行歌を歌う歌手が出ている劇場だった。「京劇」の小屋に入るときには、一番よい席を香港ドルで三ドルで買って入ったが、そのあたりに坐っている客はわたしたちだけで、あとは二十人くらい、ずっと後に坐っている。そこは無料なのだ。キーキーキーという声と、例のジャーンジャーンという鐃鈸(にょうはち)の音で「京劇」がはじまると、それまで楽団の楽員の方角に風を送っていた巨大な扇風機も止められ、ガランとした小屋に小さな蝙蝠が迷い込んだりする。料金を払って入った客はわたしたち二人だけのようだったので、この歌劇団はどうやって食べているのだろうかとしきりに思ったが、見当もつかなかった。役者たちは気も乗らないふうで、適当にふざけ合ったりしてやっている。どれも永遠に続く喜劇風のものであったが、楽団員はにこりともせず汗をふきふき適当に音を出していた。ときどき劇場の外の暗闇から、「花咲か爺さん」の挿絵にあるような犬がのそっと入ってくる。劇場の扉は全部開け放してあった。その夜、「京劇」のあとは、澳門(マカオ)へゆく船の出る波止場近くの夜市をうろつきまわった。屋台を照らす無数の裸電球の熱と、涼しくならない香港の夜の暑気に、人々の汗がぎらぎら光っていた。黒い寒天菓子がなま温い水に浸ってぶるぶる震えていた。カセット・テープの流行歌があちこちから聞こえてくる。流行歌のカセット・テープを売る屋台が一番人気があって、若者たちが群がっていた。

機内がはっきりと中近東的になったテルアヴィヴゆきの飛行機の中で、わたしは、なぜヘブライ語を習いにゆくのだろうかと考えていた。それから、からだがしびれたようになって、不能な感じばかり襲ってきた香港とタイの数日のことを考えていた。なにからはじめたら、いいのかと。

アジアの国々を経て、わたしはイスラエルへ向っていた。きっと、わたしは突き返されるだろう。手足が萎えてしまうような無力感に対して、おまえはなにかをしなければならないと、わたしは突き返されることになるだろう。わたしがヘブライ語を学ぶときめた表面的な理由はそれなりにそれでいいのだが、おそらくわたしの意識のとどかないところでべつのことが起こっていたにちがいない。わたしは、たとえば、朝鮮語を学ぶべきだと、頭では知っている。けれども、それはおそろしいことだ。学んだところで、いまのわたしになにができるのか。わたしたちのような歴史を背負うものが学びうるのか。学ぶことが、その言語を母国語とする相手を傷つけることにならないという保証があるのか。

学ぶべきだ、という気持を、わたしはヘブライ語に向けたのかもしれなかった。そうだとすると、ヘブライ語はやがてわたしをべつの言語に向かわせることになるだろう。まわりくどく、まわりくどく、中近東に突き当ってはじめて、わたしは東アジアにもんどり返ってゆくのかもしれない。

おぼえ書きのようなもの

一九七七年四月、イスラエルをあとにして、わたしはニューヨークへ発ち、そこでしばらく暮すことになった。以下は、その時期に考えたことのノートである。いくつかのことがらに脈絡を見出せ、という宿題のためのおぼえ書きのようなもの。

解放と難民収容所と、そして歴史へ

イスラエルはその発端から二重性を背負っていた。一九四八年に独立宣言をして国家となるずっと以前、まだ「イシューヴ」（開拓地）と呼ばれていた時代のその発端から二重性を背負っていた。その二重性とは民族解放運動としてのパレスチナへの帰還と、難民としてのユダヤ人の避難地としての役割である。シオニズムの先駆者たちの発想は、突如忘れられていた二千年の昔の故郷を思い出し、ヨーロッパにおけるナショナリズムの擡頭にのっかってパレスチナを思いついた、というようなものではなかった。ナショナリズムの思想の擡頭が、彼らになんの影響もおよぼしはしなかった、といってしまえばそれは正確ではない。たしかに大いに影響はあった。ただし、多くの場合、ナショナリズム的発想はユダヤ人をむしろその属する国家の一員となることを、自らの特異な伝統や文化をすてることで、正統な国民となれること、一国内の複数の文化と国家への忠誠は相容れない、単元化された文化を受け入れてこそ国民になる、という一般的な概念を受け容れる傾向にあったようである。ナポレオンはユダヤ人に市民権を与えるにあたり、彼らが永遠に彼らの分離的な民族性に背を向けるという約束を取りつけたいという欲求を明らさまに示したし、十九世紀中頃のロシアの「ハスカラ」と呼ばれたユダヤ人の啓蒙運動も、ユダヤ人の「正常化」への願望を表現して、「家にいてはユダヤ人であれ、ただし外に出たら普遍人であれ」と説いていた。（のちに、ハスカラが結局は労働シオニズムの思想をはぐくみ、ヘブライ語を蘇生させることになったのはおもしろい。）ドイツでシオニズムがはじめて問題にされるようになった頃、ドイツのユダヤ人は、そのような思想は立派なドイツ人であろうとするユダヤ人に害をおよぼし、ドイツ精神に反する思想を教えこむ矛盾した反動的発想であると非難した。イギリスではシオニストはユダヤ人によって国賊、反セム主義をあおる者どもと罵しられ、アメリカの改革派ラビたちも「ユダヤ人はすでに民族ではなく宗教的共同体にすぎない」といって反対した。ロシアでは、ユダヤ人の社会民主党「ブンド」が、シオニズムはブルジョワ・ユートピアニズムだときめつけた。彼らにとってシオニズムはトルコのスルタンやその反動政府の善意をあてにし、そしてユダヤ人資本主義者の金にたよることを意味した。ロシアのユダヤ人の政治的、経済的向上心を無視するものだとも思えた。西ヨーロッパでは急速に同化が進み、同時にユダヤ主義のタルムード的伝統世界は萎縮し、硬化し、頽廃していたから、ユダヤ人としての彼らは未曾有の思想的衰退期にあったともいえる。（同化して、「普遍人」になることをユダヤ人問題の解決もしくはユダヤ人の歴史的状況の改善と考えるなら、十九世紀は未曾有の自由の時代であった、というのだろうが、その立場は自己および他者に対する無限の知性の暴力をかくしている。）

シオニズムの先駆者はラビであったアルカライとカリシャーであるといわれているが、彼らのヴィジョンはメシアニズムの思想の十九世紀的継承だった。正統派の見解からは異端と批判される「実践的メシアニズム」で、消極的にみじめに硬化したユダヤ主義の囚人となって救済者（メシア）の到来を待つのではなく、民族として再生することによって、積極的に救済者の到来をうながそう、ということだった。

そして、ヒューマニズムとナショナリズムの発想が、たとえばモーゼス・ヘスなどに強い影響を与えた。ボンの敬虔な伝統的なユダヤ人の家庭に育ったヘスは（ボン大学ではカール・マルクスと一緒だった）、家をすて、宗教をすて、のちにヨーロッパ各地を放浪して、一種のユートピア社会主義を説いていたが、やがてふたたびユダヤ人であるとはどういうことかについて考えるようになり、同時にイタリア民族主義運動のマッツィーニの思想に深い感銘を受けた。そして著したのが『ローマとエルサレム』（一八六二年）だった。ユダヤ人が他人の土地に住む異物という役割をすてるためには、イスラエルの地に帰らなければならない、そこではじめてユダヤ人は真に解放されるだろう、と彼は書いていた。ユダヤ人はヨーロッパにおける最終的にして重大なる民族問題であると。その本は二百冊しか売れなかった。

アルカライやカリシャーの場合、彼らのシオニズムがいわば自由主義の最盛期、ヨーロッパにおけるユダヤ人解放がもっとも明るい展望をもっていた時代に生まれたことは意味深い。この二人は一度たりとも、パレスチナへの移住を肉体的危険に対処する手段として説いたことはなかった。これに対してヘスは、その自由主義の楽観的時代にあってさえ、「われわれは他民族の中にあって永遠によそ者であり続けるだろう」と警告していた。彼はシオンへの帰還を民族の自由への解放であると同時に、肉体的な生存の必要とも重ねてみていた。一八六〇年代、一八七〇年代は、ビザンチン正教と大ロシア・ナショナリズムの奇異な混合体であったスラブ主義がロシア帝国でいきおいをえた時期であった。その後一八八二年にアレクサンダー三世が即位し、暗い時代になり、一八八二年には悪名高き「五月法」が発布され、ユダヤ人は居住地の制限を受け、教育の制限を受け、職を追われ、十九世紀末には、ロシア帝国内のユダヤ人の四〇パーセントが、生活の一部を外国に住む知人や親戚の慈善や送金に頼って生きていたという。「このようにすれば、ユダヤ人の三分の一は死んでしまうだろう。そして三分の一は国外へ逃げるだろうし、残りの三分の一は、周囲の人口に吸収されてしまうことだろう」とツァーリの側近コンスタンチン・ポベドノスツェフは公言した。一八八一年〜八二年には、ユダヤ人襲撃ポグロムも多発した。排斥や迫害はべつにヨーロッパやロシアだけの現象ではなかった。一八三〇年代には、ダマスカスで数人のユダヤ人が非ユダヤ人の血をまぜて過越祭のたねなしパンを焼いたという根も葉もない中傷を受けて投獄された。

ロシアで『暁』というヘブライ語の文芸誌を創刊し編集したスモレンスキンは、ハスカラ運動の無節制と危険を批判した。彼は『永遠の民』で、「われわれを他の民族と同じようにあらしめよという盲目の徒がいるが、われわれが他の民族と同じであらねばならぬのは、知識を深め、悪をすてようとすることにおいてであって、自らの歴史と言語と栄光をすてさることにあるのではない」と述べていた。彼はユダヤ主義は個人の「信仰」の問題にすぎないとする西ヨーロッパの観念も、ユダヤ人の二重性（家にいてはユダヤ人、外に出ては普遍人）という観念もともにすでに挫折している、ユダヤ人を民族体として道徳的にも政治的にも再生しなければならない時期がきた、と述べていたのである。民族のルネッサンス、「魂を予言的暗示の高みにまで高揚すること」。

このように、彼にとってユダヤ人が正常化されるとは、自らを自らのアイデンティティにおいて解放することであった。のちの労働主義シオニズムも、労働を通して自らを回復し解放することを考えていた。彼らは労働を信仰にまで高めた、といわれている。それはロシア文学の「人間と土」というテーマ、ナロードニキ文学やトルストイなどによってあくことなく繰り返された、人間と土を人間の存在の基底的要素と考える思想からも大いに影響を受けていた。周囲の思想状況から言葉を借り、思想を借り、しかしシオニストたちは、それをユダヤ的であり続けるための、解放の発想にしようとした。イディッシュ語に、そしてゲットーや村落（シュテテル）にとざされた、形骸化したユダヤ主義を憎悪しまってなっていに「普遍人間」にないでもない何者でも、だからといって、しすて去ろうとしたことは、だからといって、何者でもない「普遍人間」になってしまうことを意味していたわけではなかったのだ。

ゲルショム・ショーレムの言葉を借りれば、それはユダヤ民族の自らの文明を再構築しようという歴史的行為であったのである。

そしてなお、それは同時に、難民としてのユダヤ人を収容する避難所を用意することでもあった。それは当初からすでにシオニストたちの動機の中にもあったことだが、さらに歴史的事実としてそうなった。シオニズムも、ユダヤ人のパレスチナ移住も一貫して、その二重性を背負ってきた。

その二重性を認めずに、イスラエルをヨーロッパのユダヤ人差別が生んだ国際的賤民の居住地にすぎない、あるいは本質的には仮構的存在である「ユダヤ民族」という被差別者集団が国家独立宣言をしてしまった国にすぎないと考えることは、まったくありふれた立場だが、それはシオニズムが内蔵していた多層的な様相を一挙に無視するもので、知的にはまるで貧相である。

他者の主体的歴史を、創造的過程としての歴史を、わたしたちはみとめ、理解することはできるだろうか。

ローマ帝国に対する三たびの叛乱、文化革命的・民族解放戦争的性格の叛乱もむなしく、「ユダヤ」と呼ばれたローマ帝国総督領のユダヤ人共同体は、打ち破られ、崩壊して、ユダヤ人は世界の各地へ離散していった。紀元七二年のことだった。ユダヤ主義の思想史から見れば、この離散はエルサレムにおける神殿礼拝からユダヤ人を解き放ち、ユダヤ人はそのご神殿をもつことはなくなり、礼拝の場は、学問所でもあり、共同体の集会所でもあるシナゴーグだけになった。あるいはそれは普通の住居でもよかった。具体的な土地や場所との結びつきをもたずに、ユダヤ主義は完全に機能できるようになった。とはいえ、これはユダヤ人とパレスチナの関係を半分しかいいあらわしていない。そしてユダヤ人はそれぞれに離散して行った土地で、持続する自らの歴史を生きた。創造的に民族としての歴史を生きた。

離散したユダヤ人にとってのパレスチナはその後二千年、やはりきわめて具体的な意味をもつ場所としてあり続けた。十九世紀におけるユダヤ人のゲットーからの解放まで、彼らが学んできた地理はパレスチナの地理であり、パレスチナの古代史だった。年中行事は、離散後、むしろシンボリックな神学的意味において解釈されるようになりはしたが、それでもなお、すべてパレスチナの砂漠の生活に結びついたものがほとんどだった。毎週、安息日の食卓に出されるパンや葡萄酒や蠟燭まで、砂漠に暮したパレスチナ時代をひそかに象徴していた。彼らはパレスチナの四季を生きていた。

パレスチナは遠い夢であると同時に夢ではなく、直接性をもっていた。あたかも離散して暮す土地の日々こそが夢であるかのごとく、彼らの日々は遠いくにのイメージにみたされていた。ロシアの帝政下で虐げられ、辱しめられていたユダヤ人にとって、パレスチナは言葉の真の意味においてさえ日々の避難の場所だった。

けれどもおよそ二千年、彼らが大がかりな集団的帰還を考えたことはなかった。それを計画するのはメシアの仕事であった。集団的にパレスチナへ帰ることは、夢見ることさえかなわぬことだった。パレスチナは、離散のユダヤ人の日常性において、もっとも親しい土地であったと同時に、もっとも遠い土地であった。

むろん、いつの時代にも、エルサレムへ向う個人はいた。ロシアから徒歩でパレスチナへいった、という話は多い。死ぬためにおもむいた者たちの話である。

そしてまた、数こそ少なかったが、パレスチナに住むユダヤ人が、離散後の二千年間、たえたことは一度たりともなかった。

ローマとの戦争に破れ、生き残った者のほとんどがくにを追われ、奴隷にされたりしたが数千人はそれでもパレスチナに残ったらしい。彼らはガリラヤの土地を耕し、その他の仕事もした。ローマ時代の末期、いわゆる「エルサレム・タルムード」を編纂したのが彼らだった。七世紀のアラブ人のパレスチナ征服にも生きのびたばかりか、セルジュク・トルコの支配下にも生きのび、紀元千年頃には、三十万人もいた。しかし、十字軍の遠征で大殺戮にあい、一一六九年、トゥデラのベンヤミンがパレスチナを訪れたときには、わずか千世帯に減っていたのである。その後、寛容な回教徒の支配下で、よその土地からユダヤ人の巡礼が多くやってきた。北アフリカ、ヨーロッパ、そしてスペインからやってきた。スペインからの追放がおこるずっと以前に、スペイン系ユダヤ人が定住し、パレスチナのユダヤ人の間で勢力を誇っていたのである。一四九三年の追放令が出て、何万というユダヤ人がスペインを去ったが、そのうちおよそ八千人がパレスチナにきた。その後オットマン・トルコがレヴァントを征服したが、トルコ人はユダヤ人が地中海各地からパレスチナへ向うことを邪魔しなかったので、多くのカバリスト（神秘主義者）たちが移住し、十字軍が残していった都市サフェドに住むようになった。すなわち「エルサレム・タルムード」から「シュルハン・アルック」にいたるまでの聖書解釈、法解釈の学問がパレスチナで続けられたわけである。十七、十八世紀には、中央および北ヨーロッパからカバリストのユダヤ人がやってきた。十八世紀初頭、サフェドの人口は一万六千人だった。彼らははじめ外国からの援助にたよって生きる場合が多かったが、やがて、鋳掛け屋、靴職人、香辛料商人、農民になって生計を営むようになった。ティベリアにも移民がいた。それは褐色の皮膚の、アラビア語をしゃべるユダヤ人だった。ヘブロンにもわずかながらいた。一八九〇年当時、千五百人くらいといわれている。しかし、残忍さを増していったオットマン帝国下にあって、ユダヤ人の数はどんどん減り、一八三七年当時、パレスチナのユダヤ人人口はわずか六千になっていた。エジプトにナポレオンが侵入し（一七九八年）、オットマン帝国へのロシアの脅威が感じられるようになり、一八三〇年のメヘメット・アリのシリア征服、一八五〇年のクリミア戦争、一八七八年のイギリスのキプロス島およびエジプト占領と相次いで、いつのまにか近東は世界政治舞台の新たなる焦点となっていた。一八四〇年、トルコが居留外国人に治外法権などを許す協定をヨーロッパと結び、西洋への依存を示し、その後一八六四年、イギリスとトルコが協約を結んだ際、パレスチナにおけるユダヤ人居住者にも保護を与える、ということが了解されていた。

その頃、同時にイギリスのプロテスタントとの福音主義者たちのあいだで、旧約聖書の民ユダヤ人を復活させることこそ、キリスト教徒の救済の道、すなわちイエスの再臨を招くことだという、ロマンチックな幻想がもたれていた。ウォルター・スコットの「アイヴァンホー」のレベッカこそ、エキゾチックなユダヤ人女性で、復活するシオンの夢を体現することになっていたではないか。そんなことから、ユダヤ人のパレスチナ帰還をすすめたがる人々もいたのである。しかし、メヘメット・アリのシリア征服を目撃したイギリスとフランスは、パレスチナにユダヤ人を集結させ、それをヨーロッパ諸国のための中東の緩衝国にしようと政治的なくわだてを考えていたこともたしかだ。『世界』七月号の論壇には、ナチスがユダヤ人のシオニズムに協力したと論をおこし、「ナチズムのシオニズム性」というような用語を使って書かれた驚異的に雑駁な短文

（しかもわたしたちの痛ましさは、この短文がべつにユニークなものではなく、まさしくすでに公式見解的なものだということである）が掲載されていたが、そういうことをいうなら、一八六四年のイギリスとトルコの協約のことも、フランス・イギリスの「バルフォア宣言」以前の態度も、ドイツの一八七八年、ベルリン議会におけるパレスチナへのユダヤ人移住への強烈な関心にも触れなければならない。

近東に帝国主義的な視線を向けたヨーロッパが、パレスチナにおけるユダヤ人の集団的居住を、彼らの欲望をとげる一つの手段として考えたことを疑う者はいない。（バルフォア自身は少しちがうようだが）シオニズムの運動がそのヨーロッパ帝国主義の歴史的転換期と重なっていたことを疑う者はいない。そのことからいえば、ヨーロッパはアラブの民族主義運動も、自らの欲望に合わせてせいいっぱい利用してきた。ユダヤ人もアラブ人も、西欧のそのリアルポリティックにもみくちゃにされてきた。

しかし、アラブの民族主義をイギリスやフランスが利用したからこそ、アラブ民族主義が存在しえたのではないのと同様に、ユダヤ人のパレスチナへの帰還も、イギリスやフランスやドイツが、ユダヤ人のシオニズムを利用したからこそ存在しえたのではなかった。アラブ人には、その歴史の内的過程が、歴史的生命力が、弁証法があったからこそ、独立を勝ちとろうとする民族運動が生まれたのである。同様に、シオニズムも持続する歴史の過程の、民族的表現の一つであった。

それはまた、ヨーロッパのナショナリズムに強引に結びつけられた先祖返り運動でもなかった。故ヤコブ・ハーツォグはイスラエルの国連大使であったころ、モントリオールのマギル大学で、アーノルド・トインビーと、トインビーの例の「ユダヤ人化石説」に関して討論をかわしたことがあったが、そこでトインビーは

西洋の非ユダヤ人たちがナショナリズムを発明した、わたしはそれにには極度に嫌悪をおぼえるのですが、ユダヤ人も非ユダヤ人からこの病気をうつされたわけで、これはなんとも遺憾なわけです。

これに対して、ハーツォグはこう答えた。

これはわれわれにとっては、じつに長い長い時代にわたってかかってきた病気で、ずいぶんさまざまの医者が治療してくれようと、ずっと努力を重ねてきましたが、そのたびにわれわれは治ることをはねつけてきたのですよ。あなたが反対されているのは近代国家であることは、わたしも理解しています。イスラエルにも、独立を犠牲にすることなく、もっと世界的協調に向うべきであると感じている人々は多いのです。（しかし、）それはべつのことがらです。

ハーツォグは、ある民族がおのれであろうとする行動のことを語っていたのである。もう一度、ロシアのユダヤ人啓蒙運動(ハスカラ)のことにもどるが、ユダヤ人の文化的解放を目ざしたこの運動が、すなわちユダヤ人の健康な世俗の活動を夢見たこの運動が、ゲットーやユダヤ人村落の宗教的閉鎖主義に反抗しつつも、自らの表現言語としてヘブライ語を復活させたのはなぜか。閉鎖的な暮しから自らを解き放ち、社会の正常な一部となるプロセスを奨励したハスカラが、民族言語のヘブライ語を選択したのはなぜか。イディッシュ語をその閉鎖性と旧習とともにすて去りたい、ということはむろんその大きな理由だった。しかし、なぜヘブライ語だったのか。ロシア語でもよかったのではないか。世俗的正常化が目的であったなら。ハスカラ運動の者たちは、この未曾有の希望の時代に、世俗的解放の可能性がきらきらと輝くかに見えた時代に、自らの言語を選びとった。自由になれるかもしれない歴史の転換期に、それはわざわざ不自由を選びとることではなかったか。被差別がユダヤ人をつくる、という説からいえば、これは愚かな行為である。しかし、おのれであることを選ぶ、ということがユダヤ人をユダヤ人たらしめると考えれば、不自由になることこそ、自由への道だった。それは真の民族解放への欲求を表現する行為ではなかったのか。わたしたちも、ほんとはそれがそうであると知っているのかもしれない。だから、わたしたちは朝鮮半島を支配していたあのころ、朝鮮人に無理に日本語を習わせた。あなたたちの言葉をすてて、わたしたちの言葉を使いなさい、テンノウのとうとさに一歩近づけますよ、ということだったではないか。

「自由」に背を向けるような行為は、言語の選択だけでなく、シオンへ帰ろうという発想にもなったのだった。これらの過程を、わたしたちはユダヤ人の正統な歴史の分脈の中においてとらえることはできるだろうか。歴史の連続性と有機性において、とらえることが？　たやすくアナロジーをもちこむことによってではなく、そのものにおいて。

いわば民族的実存主義の衝動につき動かされた知性のシオニズムは、多数者の思想ではなかった。それは秘密でもなんでもない。シオニズムが多くのユダヤ人を巻きこむようになったのは、ふたたび生命の危険から逃れることが必要になる社会状況が生まれてからであった。しかし、イスラエルが難民収容所としてのみ機能した、ということはないのである。それはつねに、発端からの二重性を背負い続けてきた。当然のことながら、夢と苦難、理想と現実、あるいは理想と頽廃の二重性とともに、背負い続けてきた。

シオニズムを単層的な思想として語ることはできない。敬虔な者たちは宗教的な救済の道として考えてきたし、社会主義者たちは、労働によって人間としての尊厳を取りもどすこととして考えてきたし、実際的シオニストと呼ばれる中流のドイツ人たちは避難所として考えてきた。中近東、地中海地方からやってきたいわゆる東洋系(オリエンタル)のユダヤ人たちにとっては、避難所であると同時に、聖地への帰還でもあった。

そして、アハド・ハアムにとっては、イスラエルの地は民族の精神のルネサンスの地であった。彼は、政治的シオニストどもの考えはヨーロッパに洗脳された西欧ユダヤ人の思いついた人工的なまぜものにすぎないと軽蔑していた。それはちょうど、政治的シオニストのヘルツルが、トルコからユダヤ人移住の許可をとりつけようとして失敗し、エジプトとの交渉にも失敗し、ロシアとルーマニアのユダヤ人に対して加えられた迫害の惨状に絶望的になっていたときのことである。文字通り、一つの民族の中で、文化革命のヴィジョンと、難民救済のヴィジョンが重なり合い、同時に進行していたわけである。ハアムの姿勢は、ハアムを政治的シオニストに対する、もっともおそれられ、かつ尊敬された批判者にしたのだった。

わたしはふたたびいわなければならない。今日のイスラエルを、「アウシュヴィッツ」が象徴することがらを口実とする帝国主義の手先、という左翼の公式見解的常套句でしめくくって安心しているかぎり、わたしたちはなにも理解しはしないと。そんな姿勢はやがてパレスチナ難民をも、いつかはかならず都合よく切りすてることだろう。彼らに難民という顔のみを許す、利己的なわたしたちはついに彼らを知ることもなく、やがてはまたべつの集団を見出し、彼らにしいたげられた者という顔だけを許し、身勝手に軽いこの身をすりよせてゆくのだろう。

二千年の時をへだててもどってきた人々は、背中にはその離散の歴史を総体として背負い、そして眼前には、総体としての中近東の、アジアの歴史をつきつけられている。昔は計算に入っていなかった問題をつきつけられている。彼らの計算に入っていなかった問題は、彼らがヨーロッパ人として暮しているあいだに身につけてきたものがどのような性格のものであったかを物語っている。彼らは「まっさらな」存在として帰ってきたわけではなかった。離散の歴史が彼らをいかなるユダヤ人にしてきたかを検証することを、彼らは要求されている。それと取りくむことなしに、イスラエルは生き永らえることはできない。外的な問題と内的な問題は、おそらく通底している。それらの問題と向き合う姿勢に、民族的実存の試練がかくされている。

難民ということをいうなら、彼らは二千年このかた難民であった。精神の、そして肉体の。そして、彼らは三度目の国をつくることによって、新たな責任を負うことになった。おおかたのときは孤立しつつ、自らの歴史と、世界の歴史の中に抛り出されている。

森の火事

新しい生への希求、労働によって人間としての尊厳をとりもどしたいという熱い願い、あるいはただ生命の安全がほしいという必要からパレスチナへ移ってきたユダヤ人たちであったが、その移民の世代にとってのイスラエルはつねに達成すべき「目的」であった。けれども、独立宣言をして、独立戦争を戦った時代のあとに成長した土着のユダヤ人、イスラエル人でもあるユダヤ人にとって、イスラエルはすでにつきつけられた事実として存在するようになっていたのである。移民者の時代のイスラエルはユダヤ人の民族的救済として――宗教的なそれであれ、世俗的なそれであれ――発想され、その救済の過程と成果は、たえず離散の記憶に対比されていた。そして、真の民族的解放をねがった者にとって、「イスラエル」はとどのつまり挫折したのだと考えた者もいたし、そう書き記した者もいた。アグノンの末期の作品がその失意を語ろうとしていた。

独立戦争を経験し、その後イスラエル市民となって戦後の日常生活に追われるようになった世代は、事実となった「イスラエル国家」のもとで、以前の移民時代の「問」にしつこく悩まされることもなく、それと同時に離散のユダヤ人との関係も変質していった。離散のユダヤ人との関係を認めようとはせず、それを拒絶する、少数のものではあったが、そのような運動すらあった。彼らは自分たちは中近東土着の人種だ、カナン人だ、といったのである。この世代は離散のにおいのついたものはなにもかも嫌悪し、シオニズムの感性とその英雄気取りをはねつけた。そして、個人的な夢や希望と、国家を支える義務とのあいだにはさまれ、自分がギシギシと軋んでいる、と感じたのも彼らだ。独立を宣言したばかりの国の、そのねうちを疑っていた。イツァール・スミランスキーは、シオニストのレトリックは「首にまきつけられた碾臼(ひきうす)のよう」と書いた。

アラブ人との関係をどうするつもりなのか、という問が広く問われるようになったのも、このころになってからである。とりわけ、「カフール・クァシム」という、イスラエルとヨルダンとの境にあるアラブ人の村の人々が、夜間外出禁止令を知らずにか、あるいはついうっかりか破ったことに対し、イスラエルの巡視隊が発砲し、四十三人も射殺したという事件をめぐって、シオニズムのスローガンと実際の行為はあまりにも矛盾しているではないか、というはげしい非難の声がおこった。虐殺はシナイ戦争の前夜、一九五六年十月二十九日のことだった。パレスチナ難民をどうするのか、という問も執拗に問われていた。

モシェ・シャミールは自伝的小説で、「われわれがアラブ諸国から百万人のユダヤ人難民を引き受けたのは、イスラエルの国境からアラブ人を一人たりとも追い出すことを条件にしていたのではなかった」と書いていた。

アモス・オズは、ある娘が独立戦争以前のエルサレムで一緒に遊んだアラブ人の双生児の男の子たちが、のちにこの娘の幻想にあらわれ、彼女の家に押し入り、冒し、そして殺すという小説を書いたが、そこにはイスラエル人がアラブ人の存在に目をつぶることはできないということと並んで、根元的な力としての復讐そのものが大気にみなぎっていることを、イスラエルをかこみこむ死を、感じていることが語られていた。

オズと同世代のアブラハム・イェホシュアは、『森に向って』を書いた。この小説の主人公は大学院の学生で学位論文を書くために森の防火警備員の仕事につく。森は「ユダヤ人国家建設基金」の金によって植林されたものだ。森はかつてアラブ人の村があったその場所に人工的に作られた。かつてはその村に住んでいた年老いた唖のアラブ人は、そこにお居残り、警備員詰所の番人となった。到着して間もなくのころ、学生は緊張して忠実に職務を果そうとする。しかし、しだいにその仕事ぶりはいい加減なものになって、ついには、ひそかに火事の発生をさえ望んでいるような態度を示すようになる。アラブ人が森に放火すると、かれはそれをそのまま放置することで実質的共犯となり、かつて破壊された村の光景が燃える森林の炎に浮かび上るのを見るのである。その幻影は彼の気分を浮き立たせる……。

「ユダヤ人国家建設基金」によって植林された森は、森以上のことを象徴している。基金は外国の離散のユダヤ人たちの寄附である。「基金」の森は離散のユダヤ人の希望とイスラエルとの結びつきを表している。しかしこの森はまた、破壊されたアラブ人の村の上に、破壊された彼らの暮しの上に植えられたものでもあった。そのアラブ人たちは何百年もそこに住んできたわけではなかったかもしれない。一八八二年当時のパレスチナのアラブ人は二十六万以下だった。それが一九一四年には二倍になっていた。一九三一年には八十四万人になっていた。中近東でアラブ人の移民して入ってくる数が出てゆく数よりも絶対的に大きかったのは、独立戦争以前のパレスチナだけだった。彼らはユダヤ人の移民が入ってきて開拓し、産業をおこすのを見て、職を求め、また消費市場として利用するためにパレスチナへ移ってきたのである。その彼らが難民となったのは独立戦争のときだった。

しかし、いずれにしろ、ユダヤ人が移り住むようになってからできたアラブ人の村であったにしろ、日々の暮しの営まれていた村が焼かれたのだった。

イエホシュアの主人公にとっては、村は焼失したのではなかった。それはユダヤ人国家建設基金で植林された森の大火事の炎に、こつぜんとよみがえるように姿をあらわした。

焼いてしまいたい歴史。そしてその炎の中に失われた村。彼が見たことさえない村のまぼろしがあかあかと。一九三〇年代生まれのイェホシュアは独立戦争をたたかいはしなかった。彼の親たちの戦争を、そのあと始末を、彼は引き受けなければならないのか。明らかに、彼の答は「そう」である。彼の小説の主人公は「十字軍」について博士論文を書いている。ちっとも進まない。アラブ人はユダヤ人のイスラエルを現代の「十字軍」と非難している。イェホシュアは民族の歴史的責任のことを考えている。救済ではなく、燃やしてしまうことのできない森のことを、燃やしてしまいたい衝動のことを考えている。

わたしたちを打つもの

わたしはこの前の文章を、「イェホシュアは……救済ではなく、燃やしてしまうことのできない森のことを、燃やしてしまいたい衝動のことを考えている」と結んだ。

でも、まてよ、という声がする。そんなふうにきっぱり結ぶには、まださまざまな手続きが残されているし、それをする力はまだわたしにはないような気がするのだ。わたしはイェホシュアと彼の小説の主人公をついうっかり同一視しかねないほど、うかつであると思う。

彼は森番を事実上の放火共犯にした衝動のことを書いてはいるが、それは「燃やしてしまえたら」という衝動なんてロマンチックなものだ、といおうとしているのかもしれないのだ。イェホシュアはべつのところで、「ユダヤ人はいつも逃げていたからな。ローマ軍にやられて離散のうきめにあった、みたいにいうけど、そりゃちがうね。一番最初のユダヤ人といわれるアブラハムを見てみろ。彼は生まれ故郷のウルを離れることでユダヤ人となったのさ。のっけから、離れるってことがつきまとっていた。いつだって離れられるんだ、っていう気持があるのさ」と語っている。そして、イスラエルについては、「もうこんどは逃げられないんだよ」という。その文脈で考えれば、森に火をつけることは、またしても精神の離散なのだ、といおうとしているのかもしれない。歴史に火をつけることはできない。あるいは、その歴史を十字軍のそれと比較することですませることもできないと。啞のアラブ人と一体化することで、逃げることもできないと。「もう逃げられない」というイェホシュアの言葉は、ふたたび主体的な歴史にふみ入ろうとした者たちの希望と苦悩をあらわしている。彼らはときに、「こんなことのために二千年も祈り続けてきたのではなかった」と、自らの思想の社会的、道徳的挫折について叫び声を上げる。またあるときは暗い問の前に立ちつくしているように見える。そのことをわからずに、簡単にあれこれ結びつけてしまってはならないと思う。

わたしはこの一年間に、『展望』と『世界』で、イスラエルについて書かれた、いくつかのグロテスクな文章を読んだ。ほんとにグロテスクとしかいえないようなものがいくつかあった。イスラエルはただ思弁のだしに使われているだけのようで、ほんとはどうでもいいようなのだ。しかも、「だから、どうだってんだ」という声が聞こえてしまう。

そうかもしれない、とわたしは思う。だから、どうだってんだ？　べつに世界がわたしたちに耳を傾けているわけでもないのだ。わたしたちどうし、わかりあってりゃ、それでいいのかもしれないのだ。

ことがイスラエルというわずか人口三百万の小さな国に関することにとどまるなら、それでいいのかもしれない。アラブのボイコットにすっかり怖れをなして、わたしたちはイスラエルには輸出もしてやらないくらいだから。

けれども、それはきっとそういうことにはとどまらない。ある民族の共同体の現実を、そのものの正当な文脈においてとらえることができないとしたら、それはきっとわたしたちを打つなにかとなってはね返ってくるだろう。わたしはグロテスクな文章といったが、それは他者の歴史を平然と図式で切り裂くあつかましさのことをいった。明快でもないものを記号化して、それを思弁の道具に利用することをいった。そういうことを他に対してしながらも、自らの歴史だけは、自らの現実だけは正当な文脈においてとらえることができるという保証はあるのだろうか。自らに対してだって、グロテスクになりうるのではないか。

なにも、イスラエルだけが問題なのではない。わたしはたまたまいまイスラエルのことをいってるにすぎない。アラブ諸国のことだって同じだと思う。第三世界の正当にしてインチキ会員であるわたしたちは、アラブに身勝手に感情をすりよせたりするのだが、そして、そのことには十分な理由があると思うのだが、わたしたちがわたしたちのなにかと、アラブ諸国のなにかを、ほしいままに重ねてみることは、きっとわたしたちを打つものとしてはね返ってくることだろう。表層的な理由ではなく、潜在的にわたしたちをつき動かしているものが、きっとしっぺ返しをする。

　わたしはわたし自身のこのいくつかの文章を通して読んでみて、語ってはならぬことを語っているという気持が強い。謙虚な性格だから、そういう気持になっているわけではない。わたしはたいして謙虚な人間ではないのだから。ただ、おまえはいかなるものの名において、このようなことを書くのか、としつこくたずねるなにかがある。「シッ！」といってやるのだが、そいつはどかない。そんなに不安なら、本など出すのはやめるべきだ。ところがやめもしないのである。やめないが、身のおきどころもないのである。

引用資料

森崎和江『ははのくにとの幻想婚』現代思潮社（一九七〇）

J－P．サルトル著　安堂信也訳『ユダヤ人』岩波新書（一九五六）

解説　思考と身体を外に開く

平松洋子

ずっと書棚の定位置に置いてきた本のなかに、隣り合わせの二冊がある。

『西瓜糖の日々』（リチャード・ブローティガン　藤本和子訳　一九七九年刊　河出書房新社）

『塩を食う女たち　聞書・北米の黒人女性』（藤本和子　一九八三年刊　晶文社）

すっかり褐色に日焼けし、ページのあちこちに染みも目立つ古本風情の二冊。刊行年から推察すれば、たぶん『西瓜糖の日々』は大学を卒業する前後、『塩を食う女たち』は二十代前半に買い求めた。以来、何度も読み返してきたし、もしこの二冊に出会わなかったら、と想像するのが怖いくらい、ものの考え方や視点の持ち方、言葉や文学についてさまざまに影響を受けてきた。

ただ、若い頃にはどうしてもわからないことがあった。『西瓜糖の日々』でナイフのように研ぎ澄まされた詩的で美しい世界を表出させる翻訳者、藤本和子。『塩を食う女たち』でアメリカの黒人女性たちが口々に語る生のありさまに耳を澄ませ、英知の言葉として記録する書き手、藤本和子。ふたりの藤本和子をなかなか重ね合わせられず、同姓同名の人物がいるのでは、と訝しんだことさえある。ところが、同一人物だと知ったときはおおいに面食らい、像がひとつに結ばれたのに、むしろ輪郭がつかめなくなった。翻訳と聞き書きとエッセイのあいだに横たわる距離ではなく、藤本和子という人物の内部に広がる泉に触れた心地を覚えて、かなり動揺したのである。だから、いまあらためて痛感するのは、最初の二冊を端緒としてさまざまな著作を読みながら今日まで、私は「藤本和子」に出会い続けてきた、ということだ。

一九七五年、彼女が初めて小説の翻訳を手掛けたリチャード・ブローティガン『アメリカの鱒釣り』の「訳者あとがき」はきわめて印象的な長いエッセイだが、そのなかで「ブローティガンのことばは幻想的だ」と述べたあと、こう続けている。

「幻想は、人工的に現実を完結させない、と思う。むしろそれは、現実を逆探知する回路なのだ。そして探知された現実は、わたしたちの思想を完結させるものとしてあるよりは、完結しがちなわたしたちの洞察を揺さぶるものとしてある」

　とかく幻想と現実は相反するものとして位置づけられがちだけれど、その膠着関係に鋭く切り込み、かつ双方をきっぱりと成立させる文章。いうまでもないが、この文章に出会えば、〈幻想／『西瓜糖の日々』〉と〈現実／『塩を食う女たち』〉は補完関係、いや同一線上に置かれていることは明白だ。これもまた二作についての理解を深めるための肝要な点だとすぐ気づけなかった自分をのろまだと思うけれど、いろいろな言葉に行き合ったり拾い集めたりしながら時間をかけてにじり寄って、むしろよかったと思う気持ちもある。さらにはっとさせられるのは、「わたしたちの洞察」が

「完結しがち」だと自戒する手厳しさだ。現実は、よほど注意深く「逆探知」しなければ、周知のもの、既知のものとしてフリーズしてしまう。知識や情報として留め置くのではなく、現実の深部から発せられる声の存在を感じとり、耳を澄ませて注意深く聞くことは、翻って「わたしたち」を知る手掛かりにもなるのだから――いずれの訳書や著作にも、このようにして、つねに自分で自分に揺さぶりをかける姿勢が素通しになっている。私は、その姿に惹きつけられてきた。

本作『砂漠の教室　イスラエル通信』は、藤本和子の原点ともいうべき著作である。まるごとごろん、ごつごつ、しかし、しなやかに提示される思想の核。執筆したのは『塩を食う女たち』に取りかかる三年前の一九七七年、三十七歳のときだ。アメリカ生まれのユダヤ人、夫のデイヴィッド・グッドマンとともにイスラエルに出向き、まず五ヶ月にわたって寮生活を送りながら世界各地から集まってきた生徒たちと机を並べてヘブライ語を学ぶ日々。いきなり初日から「もう、帰ろう」と何度も思うのに、なぜ、ヘブライ語を知らずにはいられないところへ自分を追いこんだのか。知らぬ顔をして素通りできない問題意識の根本が、洗いのかかった木綿布のように清潔な言葉で語られる。

「差別とか偏見とか迫害とかいう手軽な常套語では、ユダヤ人が傷ついた人々であることを満足に説明することはできない。キリスト教の世界観の内部に吸収されることを拒み続けた集団の疎外の質がいかなるものであるか、そのことが理解されないとだめだと思う」

手垢のついた便利な言葉はおろか、個的な動機や事情、あるいは思弁の都合やらのために他者が語られてはならない、と怒りをこめて語るのだが、鋭い矢は、やはりブーメランの軌跡のように自分自身に向かっている。とりわけ、イスラエルやヘブライ語の学習をつうじて培った思考の運動を詳細に追う章「なぜヘブライ語だったのか」「おぼえ書きのようなもの」。むしろ、自身に対して噛んで含めるように言い聞かせながら言葉に託す文章には初々しさや純度の高さが宿っており、読む者を覚醒させる力をもつ。たとえば、こんなくだり──「他者とのまじわりといえば同化しか思い浮かばない貧しさを、どこかで打ち破りたいのだ」。

だからこそ、ひとびとの等身大の生活の扉を叩く必要と必然性があった。ネゲブ砂漠の遊牧民ベドウィンのテントでのお茶。銀行での不毛な会話。安息日のイスラエル兵のヒッチハイク。オレンジを何個も貪る爺さんが乗り合いタクシーで見せた笑顔……小さな断片を入り口としてイスラエルの道のりの深層に潜りこむ。砂漠の教室を終えてアパート生活をはじめると、生活の諸相への観察はいっそう細やかだ。社会の入り口として料理をとらえ、材料や作り方にも目配りを欠かさないのだが、味そのものより、むしろ包丁を握る手つき、皿に盛る動作、身のこなしの気配が色濃く漂ってくるのは、お客の前にけっして姿を見せない女性たちへ向ける強い視線があるからだろう。

藤本和子の著作のうち、本書がとくべつだと思うのは、三十代後半を生きる一女性としての感情がきわめて率直に語られている側面を持つからだ。インド出身のユダヤ人、ヨセフ・モリスの家で出会った幼い娘の話から、こちらがどぎまぎするほど紙幅を割いて「わたしの意識の中にある暗い部分」、つまり個人的な心情や実体験が吐露される。サンフランシスコでの不妊治療、二度にわたる子宮内膜症の手術、あるいは中絶手術の診察室での詳細。さらに、畏敬の念を抱く思想家、森崎和江の評論集『はのくにとの幻想婚』にたいする共感を熱っぽく綴り、「森崎さんの仕事を抜きにして、わたしはヘブライ語のことを書くことができない」。藤本和子にとってのイスラエルとヘブライ語は、森崎和江にとっての朝鮮と朝鮮語と鏡合わせのような関係にあるのだと理解するとき、本書は、女たちとの連帯表明のスタート地点でもあることに気づく。そうか、だから、不妊治療や中絶手術について、どうしても書かなければならなかった——。

『砂漠の教室』は、ヘブライ語の学習室であったと同時に、日本語の実験室でもあったと思うのだ。とかく日本語の「私」は他者を飲み込んでしまいがちだと指摘し、ではどのようにして「他者に他者の正当なる顔を与えること」ができるのか、日本語で書きながら模索し続けた。この態度をまっとうしようとする気概と覚悟が、本書には鋼のように貫かれている。それでいて、めっぽう風通しがよく、たゆまず呼吸を繰り返しながら思考も身体も外に開かれている。まさに藤本和子そのひとを体現する原石のような一冊だ。

（作家・エッセイスト）

本書は一九七八年一一月に小社より刊行された単行本を文庫化したものです。

協力　鶴見太郎（東京大学大学院総合文化研究科准教授）

砂漠の教室
イスラエル通信

二〇二三年　六 月一〇日　初版印刷
二〇二三年　六 月二〇日　初版発行

著　者　藤本和子

発行者　小野寺優
発行所　株式会社河出書房新社
〒一五一－〇〇五一
東京都渋谷区千駄ヶ谷二－三二－二
電話〇三－三四〇四－八六一一（編集）
〇三－三四〇四－一二〇一（営業）
https://www.kawade.co.jp/

ロゴ・表紙デザイン　粟津潔
本文フォーマット　佐々木暁
印刷・製本　中央精版印刷株式会社

Printed in Japan　ISBN978-4-309-41960-2

西瓜糖の日々

リチャード・ブローティガン　藤本和子〔訳〕　46230-1

コミューン的な場所アイデス〈iDeath〉と〈忘れられた世界〉、そして私たちと同じ言葉を話すことができる虎たち。澄明で静かな西瓜糖世界の人々の平和・愛・暴力・流血を描き、現代社会をあざやかに映した代表作。

テヘランでロリータを読む

アーザル・ナフィーシー　市川恵里〔訳〕　46743-6

全米150万部、日本でも大絶賛のベストセラー、遂に文庫化！テヘランでヴェールの着用を拒否し、大学を追われた著者が行った秘密の読書会。壮絶な彼女たちの人生とそれを支える文学を描く、奇跡の体験。

モーリタニアン　黒塗りの記録

モハメドゥ・ウルド・スラヒ　ラリー・シームズ〔編〕　中島由華〔訳〕　46738-2

9.11から20年——。グアンタナモ収容所の地獄から世界へと発した闘いの書。世界的ベストセラーの手記が文庫化。2021年10月29日（金）よりTOHOシネマズ日比谷他で全国ロードショー。

非色

有吉佐和子　41781-3

待望の名著復刊！　戦後黒人兵と結婚し、幼い子を連れNYに渡った笑子。人種差別と偏見にあいながらも、逞しく生き方を模索する。アメリカの人種問題と人権を描き切った渾身の感動傑作！

マスードの戦い

長倉洋海　41853-7

もし彼が生きていたなら「アフガニスタンの今」はまったく違ったものになっていただろう——タリバン抵抗運動の伝説の指導者として民衆に愛された一人の戦士を通して描く、アフガンの真実の姿。

娘に語るお父さんの戦記

水木しげる　41906-0

21歳で南方へ出征した著者は、片腕を失い、マラリアに苦しみながらも、自然と共に暮らすラバウルの先住民たちと出会い、過酷な戦場を生き延びる。子どもたちに向けたありのままの戦争の記録。